FUENTE OVEJUNA

D1016401

clásicos **C** *castalia*

COLECCIÓN FUNDADA POR
DON ANTONIO RODRÍGUEZ-MOÑINO

DIRECTOR
DON ALONSO ZAMORA VICENTE

Colaboradores de los volúmenes publicados:

J. L. Abellán. F. Aguilar Piñal. José M.ª G. Allegra. A. Amorós.
F. Anderson. R. Andioc. J. Arce. I. Arellano. J. A. Ascunce. E. Asensio. R. Asún. J.B. Avalle-Arce. F. Ayala. G. Azam. P. L. Barcia.
Á. J. Battistessa. G. Baudot. H. E. Bergman. A. Blecua. J. M. Blecua.
L. Bonet. H. Bonneville. C. Bravo-Villasante. J. M. Cacho Blecua.
M. Camarero. M.ª J. Canellada. J. L. Canet. J. L. Cano. S. Carrasco.
J. Caso González. E. Catena. B. Ciplijauskaité. A. Comas. E. Correa
Calderón C. C. de Coster. J. O. Crosby. D. W. Cruickshank. C. Cuevas. B. Damiani. A. Delgado Gómez. A. B. Dellepiane. G. Demerson.
A. Dérozier. J. M.ª Díez Borque. F. J. Díez de Revenga. R. Doménech.
J. Dowling. A. Duque Amusco. M. Durán. P. Elia. I. Emiliozzi.
H. Ettinghausen. A. R. Fernández. R. Ferreres. M. J. Flys.
I.-R. Fonquerne. E. I. Fox. V. Gaos. S. García. C. García Barrón.
L. García Lorenzo. M. García-Posada. D. T. Gies. G. Gómez-Ferrer
Morant. A. A. Gómez Yebra. J. González-Muela. F. González Ollé.
G. B. Gybbon-Monypenny. A, Hermenegildo. R. Jammes. E. Jareño.
P. Jauralde. R. O. Jones. J. M.ª Jover Zamora. A. D. Kossoff.
T. Labarta de Chaves. M.ª J. Lacarra. J. Lafforgue. C. R. Lee.
I. Lerner. J. M. Lope Blanch. F. López Estrada. L. López-Grigera.
L. de Luis. I. R. Macpherson. F. C. R. Maldonado. N. Marín.
E. Marini-Palmieri. R. Marrast. J. M. Martínez Cachero. F. Martínez
García. M. Mayoral. D. W. McPheeters. G. Mercadier. W. Mettmann.
I. Michael. M. Mihura. M. T. Mir. C. Monedero. J. Montero Padilla.
H. Montes. J. F. Montesinos. E. S. Morby. L. A. Murillo. R. Navarro
Durán. A. Nougué. G. Orduna. B. Pallares. J. Paulino. J. Pérez.
M. A. Pérez Priego. J.-L. Picoche. A. Piedra. J. H. R. Polt. A. Prieto.
E. Pupo-Walker. A. Ramoneda. M. I. Resina Rodrigues. J.-P. Ressot.
R. Reyes. J. V. Ricapito. F. Rico. C. Richmond. D. Ridruejo.
E. L. Rivers. E. Rodríguez Tordera. J. Rodríguez-Luis. J. Rodríguez
Puértolas. L. Romero. V. Roncero López. J. M. Rozas. J. M. Ruano
de la Haza. E. Rubio Cremades. F. Ruiz Ramón. C. Ruiz Silva.
P. E. Russell. G. Sabat de Rivers. C. Sabor de Cortazar. F. G. Salinero. J. Sanchis-Banús. R. P. Sebold. D. S. Severin. D. L. Shaw.
S. Shepard. M. Smerdou Altolaguirre. G. Sobejano. N. Spadaccini.
O. Steggink. G. Stiffoni. R. B. Tate. J. Testas. A. Tordera. J. C. de
Torres. I. Uria Maqua. J. M.ª Valverde. D. Villanueva. S. B. Vranich.
F. Weber de Kurlat. K. Whinnom. A. N. Zahareas.   A. Zamora
Vicente. A. F. Zubizarreta. I. de Zuleta.

LOPE DE VEGA

FUENTE OVEJUNA

Edición,

introducción y notas

de

FRANCISCO LÓPEZ ESTRADA

SÉPTIMA EDICIÓN
RENOVADA

Madrid

Copyright © Editorial Castalia, S.A., 1996
Zurbano, 39 - 28010 Madrid - Tel. 319 89 40 - Fax: 310 24 42

Cubierta de Víctor Sanz

Fotocomposición: SLOCUM, S. L.
Impreso en España - Printed in Spain
Unigraf, S.A. - Móstoles (Madrid)

I.S.B.N.: 84-7039-750-8
Depósito Legal: M. 42.004-1996

*Queda prohibida la reproducción total o parcial de este libro, su
inclusión en un sistema informático, su transmisión en cualquier
forma o por cualquier medio, ya sea electrónico, mecánico, por
fotocopia, registro u otros métodos, sin el permiso previo y por escrito
de los titulares del Copyright.*

SUMARIO

Tirano es aquel príncipe que, siéndolo, quita la comodidad a la paz, y la gloria a la guerra, a sus vasallos las mujeres, y a los hombres las vidas; que obedece al apetito y no a la razón; que afecta con la crueldad ser aborrecido, y no amado.

Quevedo, *Marco Bruto,* en *Obras Completas,*
Madrid, 1932, p. 627.

INTRODUCCIÓN
CRÍTICA

1. "Fuente Ovejuna", la primera de las comedias en la fama moderna de Lope

Si se hiciese una encuesta sobre qué comedia de Lope es la más conocida por el público actual, creo que *Fuente Ovejuna* ocuparía uno de los primeros lugares. Pero no siempre fue así. Un dato curioso es que la obra, en el mismo año de su publicación, pasó a América; una de las compañías ambulantes que paseaban la comedia española por el Nuevo Mundo la representó en Potosí.[1] Apenas quedan otras noticias de la obra, sino dos copias manuscritas de la edición de 1619, a la que me he de referir por extenso; un ejemplar de esta edición de 1619 de los de la Biblioteca Nacional de Madrid tiene manuscritos los cuatro últimos folios, probablemente por la curiosidad de

---

[1] Véase N. Salomon, *Lo villano en el teatro del Siglo de Oro,* p. 722, nota 37. Sobre las copias manuscritas de la comedia y los folios finales, hay noticia en la bibliografía selecta, en donde figuran las obras que se citan abreviadamente en las notas del prólogo y de la obra.

algún lector de la época que quiso así completar un ejemplar falto de los mismos. Esto hace de *Fuente Ovejuna* una comedia más de entre las muchas de Lope, cuya situación en la vida del autor y otras cuestiones expongo en este prólogo. Los problemas bibliográficos que plantea la variedad de emisiones (o apariciones sucesivas de una misma edición con ligeras variantes en los textos), que referiremos en cuanto a la *Dozena Parte* de las comedias de Lope que contiene *Fuente Ovejuna,* representan un episodio propio de la transmisión impresa de la comedia nueva, y no es exclusivo de nuestra obra.

El diverso conocimiento y fama actual de las comedias de Lope ha sido resultado de una labor de la crítica literaria, ayudada por el esfuerzo de compañías teatrales que las han representado de manera ocasional y también dentro de campañas culturales de diversa inspiración. La gran cuestión radica en que *Fuente Ovejuna* irrumpió en el curso del siglo XIX y después en el nuestro como una de las comedias que se destacó por entre las demás en forma incontenible y no siempre por motivos estrictamente literarios. Por eso recomiendo que la lectura de esta otra (que no es lo mismo que la asistencia a su representación) se haga con cautela y en forma reflexiva. Hay que esforzarse por comprender por qué una comedia en la que Lope usó una técnica de redacción común a las demás, valiéndose de los consabidos recursos que convenían al público de los *corrales* o teatros de la época, ha podido convertirse en esta obra que hoy es necesario conocer por tantos motivos que tocan a la cultura española y aun a la europea.

La conversión en comedia del hecho de Fuente Ovejuna inspiró al menos a otro escritor, el alcalareño (casi sevillano) Cristóbal de Monroy (1612-1643); en este caso, la obra, impresa tardíamente por entre la suma inmensa de comedias sueltas, permaneció oculta (salvo referencias accidentales en otros críticos) hasta que la publiqué en esta colección.

2. "FUENTE OVEJUNA", LA ÚLTIMA COMEDIA DE LA *DOZENA PARTE* (1619)

En la *Dozena parte* de las Comedias de Lope, impresa en 1619, la última de todas es la *Comedia famosa de Fuente Ovejuna.* Lo de "famosa" es un adjetivo común en los encabezamientos, y no tiene valor específico; más bien se diría que la obra es una más en la docena que forma esta parte (la última que se juntó).

Después, hay que esperar a los efectos del Romanticismo para que la obra se traduzca al francés en 1822. Su estrella se alza sobre todo en 1845, cuando el conde de Schack la vierte al alemán en su *Spanisches Theater* (Frankfurt M., tomo II), y se ocupa de ella en la *Historia del Arte Dramático* considerándola "entre las más preciadas joyas" de Lope.[2] En 1857, Juan Eugenio Hartzenbusch la incluyó en el tomo XLI de la *Biblioteca de Autores Españoles,* y de esta manera se extendió su conocimiento, si bien no demasiado pues en 1899 Menéndez Pelayo indica con énfasis que, siendo una de las obras más admirables de Lope, "por raro capricho de la suerte no sea de las más conocidas de España".[3] Pero pronto la obra levantaría un vuelo de cada vez mayor altura. Contribuyeron al mismo las manifestaciones de una interpretación social que encontraba en la obra de Lope la primera representación teatral moderna del *pueblo* como actor colectivo frente a la tiranía de un opresor; y después, la crítica literaria que ponía de relieve los valores ideológicos de la comedia y sus lejanos fundamentos filosóficos.[4] Las numerosas representaciones de la obra, planteadas en

[2] Adolfo Federico, Conde de Schack, *Historia de la Literatura y del Arte Dramático en España,* ed. alemana, Berlín, 1845-1846, y versión española, Madrid, 1885-1887, III, p. 46.

[3] Menéndez Pelayo, Marcelino *Obras de Lope* (RAE), en el prólogo, y *Estudios* (1949), p. 171.

[4] Me ocupé de esto en L. Estrada, *Consideración Crítica,* en pp. 10-15.

circunstancias muy distintas, y los cada vez más aquilata-
dos esfuerzos de la crítica[5] la han convertido en la que probablemente sea la más conocida comedia de Lope.

3. "Fuente Ovejuna" y Lope de Vega

La aparición de *Fuente Ovejuna* en esta *Dozena Parte*
sólo asegura la fecha de 1619 para su publicación; sobre la
de su redacción no hay noticia segura. Se encuentra en la
lista de obras de Lope que figura en la edición de *El peregrino en su patria,* Madrid, 1618; se han dado las fechas de
1615-1618 (C. E. Aníbal), 1613 o antes (J. Robles), y
Morley y Bruerton la sitúan entre 1611-1618 (probablemente 1612-1614).[6]

Lope tiene en 1619 cincuenta y siete años: una madu-
rez granada. De la obra, por su carácter histórico, apenas puede desprenderse referencia o alusión hacia la
vida del escritor, pero con todo algo se puede apuntar.
Como indica J. M. Rozas (1990, pp. 340-342), Lope
pudo conocer la parte de la geografía de La Mancha que
queda cerca de los caminos que iban de Madrid a Andalucía y que pasan por Ciudad Real, uno de los lugares
que se mencionan en la comedia de Lope como parte
integrante del argumento. Tenía amigos de la región
que pudieran haberle hablado de la rebelión de Fuente
Ovejuna, de la memoria de las parcialidades políticas
del siglo xv, de las que este hecho es un episodio más; y
además hay que contar con las resonancias folklóricas a
que me he de referir. Había motivos para que los hidalgos y el pueblo común recordasen la muerte violenta del
Comendador. Y esto junto con las noticias que le llegaron del hecho a través de los libros, sobre todo la *Chrónica* de Rades.

---

[5] La bibliografía del fin del prólogo es sólo una parte de los
estudios que se han ocupado de la obra, sin contar las muchas
referencias más o menos incidentales en revistas y periódicos.
[6] Morley y Bruerton, *Cronología,* en especial, pp. 330-331.

Lo más importante sea acaso la paradoja de que el cortesano Lope, que hizo de la hidalguía el patrón espiritual de sus galanes, se embarcase en la aventura de escribir una obra de la condición de *Fuente Ovejuna,* en la que se presenta y desarrolla una rebelión contra el señor; y al mismo tiempo lograra entremeter en su curso el elogio de los Girones, a pesar del papel que toca en la obra a don Rodrigo Téllez. Salomon[7] cree que, en cuanto a lo primero, el motivo más importante fue el descrédito que entre 1610 y 1615 envolvía los títulos de Caballero y Comendador de las Órdenes (y en esto empareja a *Fuente Ovejuna* con *Peribáñez y el Comendador de Ocaña,* y relaciona estas obras con *La Santa Juana II* y *La Dama del Olivar* de Tirso de Molina). Las Órdenes Militares a comienzos del siglo XVII cumplen sólo una función de prestigio social, y las cruces se logran fácilmente, contando con medios políticos y económicos. El refranero recoge el parecer popular de que el caballero no es, por sólo serlo, bueno: "La cruz en los pechos, y el diablo en los hechos";[8] y esto podría servir también para el caso del Comendador de *Fuente Ovejuna,* y justifica, en cierto modo, que Lope muestre en escena las malandanzas de Fernán Gómez. Por otra parte, hay indicios evidentes de que hacia 1600 los libros de teoría política, sobre todo de raíz aristotélica, recomiendan un trato más justo y liberal entre señor y vasallo.[9]

Lope cuida, con todo, de que en la obra se condene al mal Comendador y se salve al fin el que, reconocidos lealmente sus errores, será buen Maestre y servidor de Reyes. Los apellidos de Rodrigo Téllez Girón se asociaban en los oídos del público de los corrales con la gran casa de los Duques de Osuna. Lope había dedicado la edición de la *Arcadia* (Madrid, 1598) a don Pedro Téllez

---

[7] Salomon, *Lo villano en el teatro del Siglo de Oro,* pp. 722-723.

[8] Cor., p. 194.

[9] Véase 975-976. En las notas del prólogo, la mención de estas cifras solas indica los números de los versos de la comedia de Lope.

Girón (1574-1624),[10] y en el prólogo dice que la había dirigido antes a don Juan, padre de don Pedro (1554-1600), sin haber podido imprimirla; y en *La Vega del Parnaso,* póstuma (Madrid, 1637), dedica una silva a don Pedro, a quien agradece sus beneficios y se le ofrece con "gran fe, lealtad igual, humilde pluma". En *Fuente Ovejuna* Lope reúne, por tanto, el relato cronístico de la muerte de un Comendador a manos de sus súbditos e, implícitamente, la devoción cortesana por los antepasados del gran señor al que sirvió; no encontró paradójica la fórmula, y expresó en una misma comedia la estimación positiva que sentía por el hombre del campo, digno y a la vez pintoresco y lírico (siguiendo los calificativos de Salomon), defensor de su honra hasta la exasperación, y el castigo del señor cruel e injusto, salvando de la mejor manera el caso histórico del joven y rebelde Maestre. Si hay violencia en las escenas de la muerte del Comendador, Lope sabe describir con minuciosidad propia de un gran cuadro de Velázquez la gallardía del Maestre y del Comendador en el asedio de Ciudad Real.[11] Lope pudo ser él mismo en vida una paradoja semejante, mezclando también los más diversos valores, y esta obra presenta esta característica en alto grado, hasta el punto de que su poca fortuna hasta el siglo XIX es posible que se deba a que no se entendiese la diversidad de factores (sobre todo, los estéticos y sociales) que se integran en la obra, algunos de los cuales no se valoraron hasta mucho después.

Lope mezcló además en la comedia otros motivos de su vida, como había hecho en otras de sus obras tan diversas. Su manera tan tumultuosa de vivir se refleja en el cauce de *Fuente Ovejuna,* que recoge resonancias muy diversas. Lope en el teatro juega, se confiesa y quiere enseñar a su manera, todo a un tiempo. Así ocurre con la función escénica de un personaje que sólo aparece en una ocasión, sin que tenga que ver con

[10] Véase la nota del v. 139.
[11] 469-500.

el mundo de Fuente Obejuna ni con el asunto de la obra. Es muy posible que la intervención de Leonelo, que habla en la plaza del pueblo, parece que a destiempo, del arte de la imprenta y de los cuidados que traen los libros impresos,[12] reflejase los graves disgustos que ocasionaría a Lope la "guerra literaria" en que vivía;[13] la confusión que trajo la imprenta en la vida de un escritor tan apasionado, fue mucha, y de ahí su alusión en la escena, que así se convierte en lugar abierto no sólo a la imaginación creadora, sino a las inquietudes del propio poeta. No hay que descartar que este personaje y fragmento pudieran ser parte añadida para la publicación de la comedia y que quizá no se encontrasen en los manuscritos dispuestos para la representación.

4. LAS RAÍCES CRONÍSTICAS DE LA COMEDIA

El argumento de *Fuente Ovejuna* se asegura sobre la trama de unas noticias históricas cuya fuente ha sido fácil identificar. Sabemos que Lope fue un gran lector de toda suerte de libros, pues para urdir sus comedias necesitaba un gran número de gérmenes argumentales a los que su portentosa inventiva se cuidaba de dar desarrollo dramático; los libros de carácter histórico fueron un campo importante en el que encontró inspiración para seguir escribiendo las comedias que esperaban impacientes actores y público. En este caso se trata del aprovechamiento teatral de un suceso menor, ocurrido en 1476, poco después de las bodas de Isabel de Castilla

---

[12] 902-923.
[13] Véase el estudio de Joaquín de Entrambasaguas, "Una guerra literaria del Siglo de Oro. Lope de Vega y los preceptistas aristotélicos", en *Estudios sobre Lope de Vega,* Madrid, CSIC, 1946, en especial el episodio de la *Spongia* y la *Expostulatio spongiae,* de los años 1617 y 1618, inmediatos a la aparición de la *Dozena Parte* (pp. 205-580), y en relación con esto, el Prólogo que Lope hizo que el Teatro escriba para esta Parte.

y Fernando de Aragón. Lope considera siempre empa-
rejados a los dos Reyes a lo largo de la comedia; los dos
cuidan de la totalidad de un dominio que por entonces
sólo suma los reinos de cada uno de ellos. La principal
fuente de donde pudo sacar la información para urdir la
obra nos es conocida. No se trata de una historia de los
Reyes, ni de Castilla, el reino implicado, sino de una
crónica de orden religioso y civil conjuntamente,
una obra apropiada para la librería de un hidalgo que
quisiera conocer las Órdenes de mayor prestigio entonces, al menos aparente. En este caso se valió de la *Chrónica de las tres Órdenes y Caballerías de Santiago,
Calatrava y Alcántara,* escrita por el Licenciado Francisco de Rades y Andrada e impresa en Toledo, 1572.
Era una obra muy del gusto de los hidalgos, y en sus
páginas hay espacio para informaciones genealógicas,
unidas al relato de viejas glorias de unas Órdenes que
entonces eran ya sólo, como dijimos, ocasión de lucimiento cortesano. El ojo de águila de Lope, él también
hidalgo, se fijó enseguida en unos folios (del 79v al 80v),
que contaban el negro suceso del Comendador Fernán
Pérez de Guzmán y la rebelión de Fuente Obejuna,[14] así

---

[14] Observará el lector que las citas a la villa las hago con la
ortografía Fuente Obejuna. Los humanistas identificaron esta
población con una *Fons Mellaria;* en efecto el lugar tuvo fama
porque en él había mucha miel, y así lo registra un refrán:
"Miel de Fuente Obejuna y Espiel, rica miel". Los eruditos
locales defendieron que el nombre propio de la villa habría de
ser Fuente Abejuna (así Francisco Caballero Villamediana, en
una *Narración histórica de la villa de Fuente Obejuna,* manuscrito cuyo original se fecha en 1783, pp. 1-2), pero por una confusión *abeja/oveja,* frecuente en el habla popular, al
himenóptero se le llama también o[b]eja, y con el sufijo *-una,*
resulta el Fuente Obejuna, que los de la villa defienden como
nombre del lugar. Se documentan las siguientes grafías: Fuen-
tevejuna, Fuente Abejuna, Fuente Obejuna, Fuenteovejuna y
Fuente Ouejuna (con u=v). En Lope el título es: COMEDIA /
FAMOSA DE FVEN- / TE OBEIVNA. / (fol. 262 v.); y la
grafía sigue igual hasta el fol. 266, en que se cambia por Fuente

como la violenta venganza de los villanos. Para Lope fue eso: una noticia curiosa, acaso ya conocida por otras lecturas o refranes, o por la fama tradicional, que podría convertirse en una trama, de apariencias históricas, para una comedia más de las suyas.

En lo fundamental, las noticias referidas en la *Comedia de Fuente Ovejuna* se hallan en la *Chrónica* de Rades; sólo resulta necesario combinarlas y darles entidad dramática, aprovechando el aspecto que mejor convenía de los que allí se mostraban. La *Chrónica*, dedicada a la alabanza de la Orden y su gente, relata lo que para Rades es un alborotado suceso: la ignominiosa muerte de un Comendador en manos de una turba violenta; es un "furor de pueblo airado", "muerte cruel"; todo ocurre en medio de "palabras feas y deshonestas, y grandes injurias contra el Comendador mayor, y contra su padre y su madre"; una vez muerto, "dieron sacomano a su casa y le robaron toda su hacienda" (fol. 79v.) Sin embargo, Rades expone el motivo de esta rebeldía, porque el Comendador (reconoce la *Chrónica*) había hecho "tantos y tan grandes agravios" a los de la Villa, que resolvieron alzarse contra él y matarlo. Los delitos del Comendador habían sido alojar en Fuente Obejuna a muchos soldados del partido del Rey de Portugal, Alfonso V, que entonces pretendía la Corona de Castilla; a más de los agravios que los vecinos recibían de la soldadesca, el Comendador se les comía las haciendas para los gastos de los soldados "con título y color que el Maestre don Rodrigo Téllez Girón, su señor, lo mandaba"; entre las deshonras estaba que también les tomaba por fuerza hijas y mujeres. Y así en una noche de abril de 1476 los Alcaldes, Regidores, Justicia y Regimiento con los vecinos, y a mano armada, entraron por fuerza en las casas de la Encomienda al grito de: ¡Fuente Obejuna! y ¡Vivan los Reyes don Fernando y doña Isabel

---

Ovejuna, y de esta manera se facilita la imprecación de Laurencia en 1758-1759.

y muaran los traidores y malos cristianos!". Fernán
Gómez se ofreció a desagraviarlos, pero ellos no quisieron admitir sus razones, "antes con un furor maldito y
rabioso" lo atacaron hiriéndole hasta que cayó en tierra
sin sentido. Entonces lo echaron por una ventana a la
calle, donde aún vivo cayó ensartado en lanzas y espadas, con las puntas arriba, de los que allí aguardaban su
cuerpo para ensañarse con él. Acudieron también "las
mujeres de la villa, con panderos y sonajas, a regocijar la
muerte de su señor, y habían hecho para esto una bandera y nombrado capitana y alférez"; también los
muchachos hicieron su capitanía. Todos, hombres,
mujeres y niños llevaron el cuerpo a la plaza y allí "le
hicieron pedazos, arrastrándolo y haciendo en él grandes crueldades y escarnios". Los Reyes Católicos
enviaron un juez pesquisidor a la villa, y ninguno quiso
confesar quiénes habían sido los capitanes o promoto-
res del delito ni los que se habían hallado en la violencia.
"Preguntábales el juez: «¿Quién mató al Comendador
Mayor?» Respondían ellos: «Fuente Obejuna». Preguntábales: «¿Quién es Fuente Obejuna?» Respondían:
«Todos los vecinos de esta villa»". Esta fue respuesta
"muy notable", que mantuvieron, y que sostenían aun
en los tormentos que les daban, y, "lo que más es de
admirar mujeres y mancebos de poca edad, tuvieron la
misma constancia y ánimo que los varones muy fuertes". El pesquisidor dio cuenta a los Reyes Católicos
de su frustrado interrogatorio, y ellos, "siendo informados de las tiranías del Comendador Mayor, por las
cuales había merecido la muerte, mandaron se quedase
el negocio sin más averiguación". Los de la Villa, después de la muerte del Comendador, fueron a Córdoba
y alzándose contra la Orden de Calatrava, se pusieron
bajo la jurisdicción de esta ciudad como lo habían
estado antes. Rodrigo Téllez Girón, el Maestre que se
había mostrado en favor del Rey de Portugal, "más
crecido en edad y entendimiento, conoció haberlo
errado en tomar voz contra los Reyes Católicos" y vol-
vió a su favor y murió en el cerco de Loja.

Todo esto, pues, durante la lectura se desplegó ante Lope, y su imaginación intuyó en seguida el aprovechamiento dramático del caso, y tuvo un poderoso acicate en aquel inesperado relato, unas páginas negras, contrarias al prestigio de un Comendador, leídas precisamente en una *Chrónica* de las tres órdenes más brillantes de la vida social del tiempo: Santiago, Alcántara y Calatrava.

5. LA REALIDAD HISTÓRICA DEL SUCESO PRINCIPAL

La información de la *Chrónica* del Licenciado Rades procede de fuentes documentales de la Orden. Los historiadores, después, se han cuidado de contrastar estas noticias, y el resultado ha sido enmarcar el hecho de Fuente Obejuna en la complicada política que acompañó a las guerras, en parte civiles, entre Alfonso V de Portugal y los reyes Isabel y Fernando. Y por entre estas guerras, que pasan a las Crónicas si en ellas intervienen los Reyes, las órdenes de caballería o los grandes señores, hay también conflictos locales, de menos cuantía, en algunos de los cuales se enfrenta una "comunidad" con un señor y en los que se toman decisiones más o menos colectivas, en relación con un grupo social, como ha estudiado J. I. Gutiérrez Nieto (1977). Y éste fue el caso de Fuente Obejuna. Y así resultó que esta villa, sujeta a Córdoba, había sido donada a la Orden de Calatrava por Enrique IV; en 1466 fijó allí su residencia el Comendador Mayor frey Fernán Gómez de Guzmán. Después de la muerte de Enrique IV, don Alonso de Aguilar logró para los cordobeses una cédula de Isabel y Fernando para rescatar la villa (20 de abril de 1476). En este forcejeo entre la Orden y Córdoba, los de Fuente Obejuna, tomando como motivo la desordenada conducta del Comendador, se alzaron el 23 de abril contra su autoridad en favor de la ciudad de Córdoba, que venía apoyando la vuelta de la villa a su jurisdicción. Triunfante la rebelión como hecho de violencia con la muerte de Fernán Gómez, siguió un largo pleito sobre el gobierno de su jurisdicción, del cual no hay referencias en la comedia.[15] En la obra de Lope se resuelve el caso de una manera simple, y el Rey otorga el perdón a los rebeldes de Fuente Obejuna por haber matado a su Comendador y asume el gobierno de la villa hasta que se otorgue a un comendador, "si acaso sale quien la herede", como dice de manera precavida, sin entrar en más cuestiones, ni políticas ni jurídicas, porque el caso escénico quedaba suficientemente resuelto para los espectadores en la inminente terminación de la comedia.

6. EL SEGUNDO ARGUMENTO: LA GUERRA CIVIL DE CIUDAD REAL

Pero hay que añadir otra cuestión. A Lope no basta-ron para urdir la comedia estos desmanes del Comen-dador y la rebelión de Fuente Obejuna; quiso situar a

[15] Rafael Ramírez de Arellano, "Rebelión de Fuente Obe-juna contra el Comendador Mayor de Calatrava Fernán Gómez de Guzmán", *Boletín de la Real Academia de la Histo-ria*, XXXIX, 1901, 446-512. Claude E. Anibal, "The Historical Elements of Lope de Vega's *Fuente Ovejuna*", *Publications of the Modern Language Association of America*, XLIX, 1934, 657-718. Emma Solano Ruiz, *La Orden de Calatrava en el siglo XV*, Sevilla, Universidad, 1978; investigación básica sobre el contexto histórico general. Información local sobre el hecho, en Raúl García Aguilera y Mariano Hernández Ossorno, *Revueltas y litigios de los villanos de la Encomienda de Fuente-obejuna (1476)*, Madrid, Editora Nacional, 1975; Manuel Ville-gas Ruiz, *Fuenteobejuna: el drama y la historia*, Baena, Ayuntamiento de Fuente Ovejuna, 1990; y Emilio Cabrera Muñoz y Andrés Moros, *Fuenteovejuna: la violencia señorial en el siglo XV*, Barcelona, Crítica, 1991. Para la memoria pre-via, Teresa J. Kirschner, "La importancia de la tradición oral y el héroe unanimista en *Fuenteovejuna*", *Actas del VI Con-greso Internacional de Hispanistas,* Toronto, University, 1980, pp. 419-422. Otras noticias sobre acuerdos de un grupo o colectividad, Juan Ignacio Gutiérrez Nieto, "Semántica del

Fernán Gómez en el marco de la Orden de Calatrava y sobre todo, en relación con el Maestre de ella, el adolescente don Rodrigo Téllez Girón, del que el Comendador se muestra consejero en la política contraria a los Reyes Católicos. Por esto hizo salir a escena sólo lo suficiente a don Rodrigo, y añadió, como en otras comedias, una segunda acción que toma cuerpo en relación con los hechos acaecidos en Ciudad Real.[16] Lo mismo que para el argumento primero, Lope sacó estas noticias de la misma *Chrónica* de Rades; en efecto, no tuvo más que leer los dos folios anteriores al hecho de Fuente Obejuna,[17] y allí encontró las noticias que tomó muy directamente, sin apenas trasmutarlas en forma dramática. Las notas de la edición muestran cuán de cerca sigue el texto cronístico, y sólo se permite una innovación necesaria para dar unidad a ambos argumentos: que Fernán Gómez sea el consejero de la rebeldía del joven Maestre y, al mismo tiempo, el Comendador tirano de la villa. Esto, que no se encuentra en la *Chrónica,* es un enlace necesario para dar unidad a la trama y convertir así a Fernán Gómez en el protagonista de mayor relieve de la obra, porque aparece como responsable de lo que son las dos maldades políticas que se exponen: la rebeldía frente a los Reyes Católicos y el gobierno tiránico de la aldea, cuyo pueblo desea la paz social con el señor. Así es como el Comendador juega un papel tan destacado en la comedia, deformando Lope lo que conviene a su intención, pues concentra en él una imagen negativa de los nobles insumisos a unos Reyes que querían acabar con una situación endémica de rebeldías. De los dos episodios de este encuentro, desde un punto de vista histórico,

---

término *comunidad* antes de 1520", *Hispania,* CXXXV (1977), pp. 319-367. Para la relación entre el texto de Rades y la comedia de Lope, B. Herrera Montero (1989), pp. 140-141.

[16] Diego Marín, *La intriga secundaria en el teatro de Lope de Vega,* Toronto-México, Col. Studium, 1958, especialmente pp. 58-65.

[17] Fols. 78 y 79.

el de Ciudad Real resultaba más importante, mientras que el de Fuente Obejuna era la minúscula revuelta de una villa, hecho reiterado en la compleja política señorial del siglo XV. Lope los invierte en cuanto a la importancia dramática de la exposición. El Comendador es la figura que le vale para que la representación resulte adecuada para su comedia (F. Ruiz Ramón, ed. 1991, p. 27).

El argumento del episodio de Ciudad Real encaja en la comedia con el de Fuente Obejuna por medio de una fragmentación del episodio de la *Chrónica,* que se sigue de cerca en estas varias partes. A través de ellas, Fernán Gómez es la voz contraria a los Reyes, que justifica la política de rebeldía ante los monarcas de Castilla y de Aragón, adoptada por los de Calatrava, y el apoyo a Alfonso V, esposo de doña Juana, hija de Enrique IV, pretendiente a la corona castellana;[18] relata la toma de Ciudad Real;[19] la ayuda que los regidores de ella piden a Isabel y Fernando;[20] el ataque de los leales a estos Reyes, anunciado primero[21] y realizado después con la derrota del Maestre;[22] la decisión de don Rodrigo de someterse justificándose en la poca edad y pidiendo justicia por la muerte violenta del Comendador;[23] y su presentación a los Reyes.[24] Por tanto, pues, hay una confluencia entre los hechos de Ciudad Real y los de Fuente Obejuna, que están juntos en la *Chrónica* y en la comedia, con la diferencia de que, en esta última, los de Ciudad Real se mantienen en el plano noticiero, siguiendo la pauta de la *Chrónica,* y los de Fuente Obejuna se trasladan a una dimensión dramática, en la que obtienen una organización poética, esto es creadora. El caso de la tiranía del Comendador con los vecinos de la

[18] 69-140.
[19] 457-524.
[20] 651-722.
[21] 1103-1136.
[22] 1449-1472.
[23] 2125-2160.
[24] 2310-2345.

villa obtiene su resonancia en la guerra civil que el
Maestre mantiene con los Reyes. Valerse del aparato
militar de la Orden en una acción de guerra civil es
apartarla de su fin básico: la Cruz calatraveña junta a
seglares y a freiles "contra moros", como reconoce Flores, el mismo criado del Comendador;[25] los vecinos de la
villa reciben jubilosamente al Comendador porque
viene de Ciudad Real dicen ellos que: "venciendo moricos, fuerte como un roble".[26] Pero lo que no es de buena
ley es luchar contra los Reyes Católicos; esto tiene su castigo, lo mismo que lo tendrá el Comendador por aprove-
charse de las haciendas y de las mujeres de los vecinos de
la villa. Ambas acciones están perfectamente concerta-
das, y ruedan cada una a un fin confluyente, como
reconocen J. M. Marín (ed. 1983, p. 54) y F. Ruiz Ramón
(ed. 1991, p. 34).

J. M. Rozas (1990) hizo un excelente estudio de la
acción de Ciudad Real en la obra de Lope, parte menos
atendida que la referente a Fuente Obejuna. En él trata
de cómo la guerra de Ciudad Real y la rebelión de
Fuente Obejuna son aspectos diversos de la representación de una política teocéntrica, encarnada en los
Reyes Católicos; en ambos casos actúan para que se
restablezca lo que ellos consideran que es para su reino
la justicia: devolver a Ciudad Real su condición rea-
lenga y perdonar a los rebeldes, que lo han sido por
defender una causa justa y que han buscado por sí mismos la solución final del caso de tiranía planteado en
escena. Así, Rozas considera que las dos acciones son
"cumulativas, complementarias, homogéneas y suma-
bles" (p. 344). Por eso, querer romper esta unidad escénica es cambiar la significación teatral de la comedia
tal como la concibió Lope, y darle otra intención que no
tuvo en su origen. No obstante, el hecho de que esto
pueda haber ocurrido (como trataré después), denota
que la obra de Lope puede suscitar otras lecturas y

[25] 468.
[26] 537-538.

sobrepasar esta intención de origen en favor de nuevas interpretaciones.

7. MEMORIA DEL CASO

Lope no sintió escrúpulos de historiador al valerse de las páginas de la *Chrónica* para el argumento de la comedia. Pero es posible que ésta no fuese la única vía por la que la noticia le llegase, pues el caso de Fuente Obejuna y su Comendador se había difundido por otras varias. Hay documentos sobre el asunto; alguna historia lo recoge. Y hay que contar con la vía tradicional que habría recogido la fama del hecho colectivo; esto explica que pasase también a convertirse en materia proverbial y refranística.

Una mención histórica anterior a Rades se encuentra en las *Gesta hispaniensia,* la crónica de Enrique IV de Alfonso de Palencia (1423-1492), que es favorable al Comendador, al que llama Fernando Ramírez de Guzmán, y contraria al pueblo rebelde; no parece que la conociera Lope, y además estuvo en latín hasta que la tradujo A. Paz y Melia. El P. Juan de Mariana recoge el hecho en la edición castellana de su *Historia de España* (1601), pero la referencia no se hallaba en edición latina de 1592; llama al Comendador Fernán Pérez de Guzmán.

La vía proverbial antes referida se encuentra manifestada en uno de los proverbios de Sebastián de Horozco, que dice así:

¿QUIÉN MATÓ AL COMENDADOR?

Cuando un pueblo está alterado
—Dios nos libre de su ira— [a sus iras]
que hacen el mal recado;
y después nadie es culpado
por mucho más que se inquira.

Ejecutan su furor
estando todos a una;
después, decid, por mi amor,

¿Quién mató al Comendador?
Dirán que Fuenteobejuna.[27]

Contando con que el *Teatro* que contiene el proverbio es posterior a 1558 y anterior a 1580, la piececilla
reelabora lo que sería fama común que había ocurrido
en Fuente Obejuna, representación de un "pueblo
airado", cualesquiera que fuesen las causas de la ira; y
esto, en cierto modo, es un germen de lo que luego Lope
desarrollaría en su comedia. Algo semejante viene a
decir Flores en la comedia (vv. 1869-1871). Por otra
parte, la mención parentética del proverbio *por mi amor*
anuncia, a su manera, la intervención de Laurencia y
Frondoso en un lugar en donde él se vale de la misma
mención coloquial y cariñosa de *mi amor* (v. 2283).
    Sebastián de Horozco fue padre de Sebastián de
Covarrubias y Horozco, y esto explica que éste pudiera
mencionar el caso tomándolo del proverbio de su padre,
del que es posible que tuviera un manuscrito del *Teatro
Universal de Proverbios*; y también que citase allí como
autoridad en las leyes a don Diego de Covarrubias y
Leiva, tío de Sebastián, obispo de Cuenca y Presidente
del Consejo de Castilla. S. de Covarrubias cita el caso
del Comendador en uno de los *Emblemas morales,* el 27
(Madrid, 1610),[28] y en él refiere la confusión en que se

---

[27] Sebastián de Horozco, *Teatro Universal de proverbios,*
Groninga-Salamanca, Universidad, 1986, ed. J. L. Alonso Hernández, p. 522, proverbio núm. 2642; doy una versión moder-
nizada del texto de la edición. Véase en L. Estrada,
Consideración crítica, en los apéndices algunos de los textos a
que aquí me refiero, así como la reproducción facsímil de las
páginas de la *Chrónica* de Rades (pp. 83-98).

[28] Duncan W. Moir, "Lope de Vega's *Fuente Ovejuna* and
the *Emblemas Morales* of Sebastián de Covarrubias...", *Homenaje a W. L. Fichter,* Madrid, Castalia, 1971, pp. 537-546. Moir
encuentra en el libro ideas y alusiones paralelas a las de Lope,
que hacen pensar en un influjo. También Victor Dixon, "*Los
Emblemas Morales* de Sebastián de Covarrubias y las comedias de Lope", *Estado actual de los estudios sobre el Siglo de*

encuentra el juez que hubo de entender en el caso de Fuente Obejuna por no encontrar a quién atribuir el hecho; el comentario justifica la resolución de los Reyes en la comedia, de acuerdo con lo que se dice en la cabeza del emblema: *Quidquid multis peccatur, inultum est.* También se menciona el caso en el *Tesoro de la lengua castellana o española* (1611, *s. v. fuente*) del mismo Covarrubias; y dice que del hecho quedó el proverbio "Fuente Obejuna lo hizo", que se aplica cuando son muchos los que hacen algo y no se puede imputar a nadie en concreto. Y Gonzalo Correas trae entre sus refranes el siguiente: "¿Quién mató al Comendador? —Fuente Obejuna, señor". Proverbio o refrán, el caso es que el dicho se asegura y es posible que Lope hubiese favorecido la difusión de la noticia del caso y su formulación en versos que acabarían por fijar la entidad del refrán.

Junto a estas menciones directas del caso, hay otras, menos precisas, que se refieren de lejos al hecho de Fuente Obejuna como a algo que es conocido de todos y que se puede aludir de pasada, en forma indirecta.[29] Así ocurre con un acta del Cabildo de Tunja (hoy, Colombia) del 29 de agosto de 1594, en que se rechaza una proposición porque estaba firmada por muchos: "y dijo que [...] no se había de votar como en Fuenteovejuna, coadunándose como parecía[n] haberse coadunado los que

---

Oro, Salamanca, Ediciones Universidad, 1993, pp. 299-305; versión definitiva, en "The *Emblemas Morales* of Sebastián de Covarrubias and the Plays of Lope de Vega", *Emblemática,* VI, 1992, pp. 83-101.

[29] La referencia americana, en Miguel Aguilera, "Membranza de Fuenteovejuna en el cabildo tunjano", *Repertorio Boyacense,* LI, 1965, pp. 2219-2221. Ésta y la del sermón de Luna figuran en T. Kirschner, *El protagonista colectivo...,* pp. 46-47. Sobre este paso de la memoria tradicional al proverbio y al refrán, véanse N. Salomon, *Lo villano en el teatro del Siglo de Oro,* p. 718, y José Fradejas Lebrero, "Evolución de un refrán", *Epos,* IV, 1988, pp. 393-397.

habían firmado dicho papel". En un sermón del Padre Juan de Luna, impreso en 1609, hay un párrafo en el que el hecho de Fuente Obejuna se usa en un sentido espiritual en relación con el pecado: "Y si dijeran quién lo mató [se refiere al alma], todos: ¡Fuente Ovejuna!"

La comedia de Lope se inscribe en el curso de esta memoria del hecho, representada probablemente por vez primera en Madrid ante un público de hidalgos y de cuantos acudían del pueblo a las representaciones de estas obras; y a su manera ayudó para que la difusión de la noticia del Comendador tirano y el pueblo vengador creciera. No hubo inhibición por parte de Lope en presentar sobre la escena a un Comendador tirano con los suyos y pecador ante Dios. El contrapeso se hallaba para los espectadores de la época de Lope en la elevación con que se considera a los Reyes Católicos, común en el teatro de nuestro autor que con ello recogía una fama de categoría "mítica" para algunos críticos actuales. Y en esta política se consideraba representada la de los siguientes reyes de la monarquía española hasta el que reinase cuando la representación. El Comendador encarnaba una política periclitada y los Reyes Católicos, la ascendente; y ellos han de solucionar en la escena un difícil problema del que queda una viva memoria. Es cuestión del pasado y también del entonces presente, como subraya F. Ruiz Ramón (ed. 1991, p. 13). Y por eso se requiere que el espectador actual, que vive en otro presente y que para él lo que se cuenta en la comedia es todo pasado, descubra lo que hay de acierto poético en este trasiego cultural y lo perciba en su plenitud artística.

Esta confluencia en la obra de Lope entre la historia (en lo que pudo ser conocida), la noticia tradicional, el proverbio y el refrán representa otro testimonio de la relación que se establece juntando estas vías folklóricas y populares, y las versiones cultas del hecho; y esto era una materia muy conveniente para la comedia nueva de Lope.[30]

---

[30] En una comedia impresa en 1642, un gracioso, Bitonto, refiere que callará una información: "...que diré, viendo el

8. Proyección crítica de "Fuente Ovejuna"

La numerosa obra del creador de la comedia nueva,
Lope de Vega, ha sido objeto de una necesaria clasifica-
ción para su mejor estudio. Un grupo importante de la
misma recibió el título de "Crónicas y leyendas dramáticas de España", según la denominación de Menéndez
Pelayo. En ella, una materia histórica tiene que adaptarse
a la medida de la invención de Lope, y esto ocurrió en
numerosas ocasiones. Para el caso de *Fuente Ovejuna,* la
cuestión resulta importante, no en cuanto a la fortuna que
tuvo en su tiempo, que fue poca, sino en relación con la
trascendencia que esperaba a la obra. Y en este punto
conviene tener en cuenta un peligro que no siempre se ha
evitado: atribuir a Lope ideas y conceptos que no fueron
suyos ni de su época y que, por tanto, no pudieron valerle
para la invención de esta comedia; o no tener en cuenta lo
que para Lope era común y consabido en su medio social
y personal, y que luego ha desaparecido con el cambio de
los tiempos y ya no pertenece a nuestro contorno vital,
político o sociológico, sino como un conocimiento teórico
de la cultura histórica de cada uno de nosotros. Por otra
parte, sólo podemos aproximarnos a lo que Lope pudo
saber sobre el hecho de Fuente Obejuna y le sirvió para
organizar el argumento de la obra. Las antes mencionadas
"fuentes" son sólo propuestas de estudio, algunas de las

---

cuchillo —Fuente Ovejuna me llamo.—" (comedia atribuida a
Lope, *El buen vecino, Obras* de Lope, nueva edición, IV, 20).
La alusión se refiere a callar lo que se sabe, y es difícil precisar
si procede del refrán o encierra una alusión a la comedia. Lope
había usado el procedimiento de titular sus comedias por medio
de un refrán o parte de él, como aquí ocurre; véase José Gella
Iturriaga, "Los títulos de las obras de Lope de Vega y el Refranero", *Revista de dialectología y tradiciones populares,* XXXIV,
1978, 13-168; la referencia a *Fuente Ovejuna,* p. 158. De esta
manera, el título identificaba el contenido o sentido de la comedia, y eso era un reclamo para el público de los corrales.

cuales parecen evidentes, otras posibles, y otras proba-
bles. En ellas hay resonancias de una ideología que era
común a la clase social a la que pertenecía Lope, todo ello
condicionado por la peculiar poética de la comedia nueva,
en la que ha de contar el texto, la interpretación escénica
y el público que asiste a la misma.

Intentaré examinar en lo posible, por un lado, la intención de la abundante crítica que se ocupó de la comedia;
y, por otro, cuanto pudo proceder de la interpretación de
la comedia ante un público forzosamente comprome-
tido, en cada ocasión en que se ha representado la obra
desde la época de Lope hasta hoy, con el ritmo histórico que le es propio. Y esto contando con que ambos
aspectos pueden relacionarse para la mejor inteligen-
cia del caso.

La parte más sencilla es la que toca el tratamiento de
la materia histórica, de la que me ocupé. La clave está
en que el núcleo general del argumento de *Fuente Ovejuna* (contando con el caso de amores, necesario para la
estructura de la comedia) implica una rebelión popular
con la muerte del tirano y el perdón (triunfo para algunos) de los alzados. Y es curioso que en España la interpretación *moderna* de la obra se afirme con los juicios
de un crítico conservador como Menéndez Pelayo, que
en 1899 abre esta vía triunfante de la obra; y así considera que: "En *Fuente Ovejuna* lo que presenciamos es la
venganza de todo un pueblo; no hay protagonista indi-
vidual; no hay más héroe que el *demos,* el concejo de
Fuente Ovejuna [...]. No hay obra más democrática en el
teatro castellano [...]; el alma popular que hablaba por
boca de Lope [...]; la pasmosa adivinación de la psicolo-
gía de la muchedumbre" (*Estudios,* pp. 175-182). El juicio de Menéndez Pelayo resulta sorprendente si se
compara con el de otros críticos de la época. Julio Ceja-
dor, que pudiera parecer más propicio para una exaltación de la obra, se refiere a ella como ejemplo de un
falseamiento: los escritores de los Siglos de Oro inter-
pretan "... el alma castellana de la Edad Media a su
manera [la de "la política absoluta y casi feudal de la

Edad Media"]. Chispazos de espíritu democrático antiguo vense a menudo, como en *Fuenteovejuna...*" (*Historia de la Lengua y Literatura Castellanas,* Madrid,
Tip. RABM, 1916, IV, pág. 92). Y pronto esta comedia
de Lope comenzaría a aumentar el número de sus ediciones y a atraer la curiosidad de los críticos de España
e hispanistas, hasta llegar a convertirse en una de las
más conocidas del autor.

Con esto queda ya señalada la vía de la interpretación que destacaría primordialmente el sentido social
de la obra, el político implícito con sus repercusiones
jurídicas de fondo, la matización de tales generalidades
en un dominio filosófico y aun teológico, etc., que la crítica de nuestro siglo ha amontonado sobre la obra. Una
relación del proceso de esta crítica se encuentra referida en los estudios de T. J. Kirschner, primero en su
artículo sobre la sobrevivencia y difusión de la obra
(1977[1] y 1977[2]) y después en su estudio sobre el protagonista colectivo de la misma (1979), fundamentales
para este fin.

Fuente Ovejuna se atiene a la categoría artística de la
comedia nueva, aunque propiamente sea una obra que
se aparta de la fórmula más común del teatro de la
época, propicia, sobre todo, al juego amoroso de las dos
parejas de galán y dama, y de servidor y criada, como
ocurre con la deliciosa comedia de *La dama boba;* esto
sería una factor más para la escasa difusión de la obra,
al menos en lo que testimonia la historia del teatro. He
destacado, además, las dos acciones que se reúnen en su
curso: la de Fuente Obejuna, que es la principal por el
número de versos, y la de Ciudad Real, con el menor;
ambas, como indiqué, están conjuntadas y corren hacia
el mismo fin, que es el propio de la comedia: restablecer
un orden y una armonía perdidos. El primer acto
implica la presentación de los personajes de la acción
que han de acabar por oponerse: un grupo de aldeanos,
el concejo de la villa sobre todo, y el Comendador que
la gobierna; y en él se resalta el caso de la pareja protagonista de la obra, Laurencia y Frondoso, que conduce

a un enfrentamiento personal entre este enamorado y el Comendador por Laurencia. El segundo acto agudiza el conflicto, mientras paralelamente se resuelve el caso de Ciudad Real por una técnica de espejo verbal; y hay un enfrentamiento en grado extremo entre los implicados en la villa. Y en el tercer acto, la violencia desatada por las pasiones del comportamiento del Comendador produce la rebelión de los aldeanos, con el Concejo de la villa al frente y las mujeres unidas a los hombres, que termina con la muerte del tirano, seguida de las infructuosas pesquisas legales sobre el caso, y el perdón real con que acaba la obra. La acción de Ciudad Real viene contada en grado menor dentro de la estructura dramática de la obra, aunque su relieve histórico ya se dijo que es mayor.

La crítica se ha ocupado relativamente menos de los personajes de la comedia en sí mismos y más en cuanto a lo que pudieran significar en una interpretación política y social. Forman dos grupos que confluyen ante los Reyes Católicos, ellos también personajes de la comedia. Por un lado están los que pertenecen a la Orden (de Calatrava, en este caso); y por el otro, los aldeanos de Fuente Obejuna. Sólo en forma accesoria puede entenderse como una colisión entre *ciudad* (que serían los caballeros de la Orden) y *campo* (que serían los aldeanos de la villa), un asunto fácil y consabido en la literatura de la época. La Orden en este caso sirve los designios del Rey portugués enfrentándose con los Reyes Católicos; los Reyes vencen por fin en el combate y convencen a los de la Orden atrayéndolos a su servicio y obediencia. El Comendador queda suelto y prosigue comportándose como tirano con los de la aldea. En un principio, los aldeanos soportan esta condición tiránica y la hacen compatible, a su modo, con la convivencia que requiere el gobierno público, hasta que el caso dramático de Laurencia y Frondoso pasa a un primer plano escénico. Los aldeanos son gente sencilla y honrada a su modo: Lope presentó en su teatro en otras ocasiones a los aldeanos de muy diversos modos, como aparece en K. Gouldson

(1992) y en el amplio estudio de N. Salomon (1985). En el caso de *Fuente Ovejuna* son rústicos, como es propio de la gente que vive en el campo, pero no son todos ellos figuras cómicas como en el teatro primitivo. La lectura de los libros de pastores (uno de los géneros más difundidos por la imprenta) acostumbró al público a considerar que los pastores (y los aldeanos en su proximidad como tipos literarios) podían tratar de asuntos de amores con elevación, incluso en un grado filosófico. Lope acepta este convencionalismo (362-440), pues se dirige al público de los corrales que en gran parte ha leído estos libros en los que las discusiones sobre el amor han llegado a constituir tópicos comunes, pero como no es lo mismo leer un libro de pastores en prosa y verso que una representación, deja que se trasluzca la inverosimilitud real a través de los rasgos cómicos (en el sentido de incitadores a risas) de Mengo, uno de los aldeanos que interviene activamente con esta función en el curso de la comedia. Laurencia es primero mujer que defiende el honor como el más alto valor de la vida, y que, en cuestiones de amor, sólo cede ante Frondoso al apreciar su valor heroico y por la vía matrimonial. Y a su vez, su tropiezo con la lujuria del Comendador la eleva a una condición heroica cuando incita con su ejemplo a la rebeldía del pueblo. La noticia de los hechos cronísticos, reflejada en la comedia, hace que ella sea la figura femenina más destacada del grupo y que Lope crea con gran acierto escénico; precisamente las grandes actrices (Margarita Xirgu, entre otras) han considerado que la interpretación de este personaje requiere grandes aptitudes dramáticas y, en cierto modo, asegura el triunfo de la obra sobre las tablas. También se destaca Laurencia porque adquiere funciones heroicas similares a las de los hombres al acaudillar el batallón de mujeres que luchan contra el Comendador; por eso se ha estudiado entre las figuras femeninas más destacadas del teatro de Lope (D. Sacks, 1989). La creación de la dimensión heroica de Laurencia fue un acierto de Lope, pues en la *Chrónica* de Rades este episodio de las mujeres tiene un sentido de burlas, y ocurre "con panderos y sonajas" en la agonía del Comendador; y a esta bandera femenina se une otra de "muchachos, a imitación de las madres", que también forman su capitanía de trágica chacota.

Los Reyes Católicos aparecen, en el curso y al fin de la obra, en una lograda apoteosis terminal; apenas tienen que moverse en la escena y las pocas palabras que pronuncian son para resolver las cuestiones implicadas de orden social y personal; por un lado, aseguran el triunfo del amor matrimonial, representado por Laurencia y Frondoso; y por otro, restauran la armonía política dando un final feliz a lo que había sido discordia: la lucha por Ciudad Real y la muerte del Comendador.

La diversa interpretación de los hilos de la trama y de las acciones de los personajes ha dado lugar a diferentes enjuiciamientos de la obra. Apartándose de la consideración social de la comedia, J. Casalduero (1981) estableció en 1943 una interpretación de la obra queriendo restituirla a una concepción barroca del arte, que para él representaba la situación original de la comedia. Este concepto cultural del barroco quiso afirmarse en el estudio de D. F. Roaten (1952[1,2]) aplicando a la comedia los mismos principios de Wölfflin.

El sustrato ideológico de la obra fue guiando algunas de estas interpretaciones. G. Ribbans (1954) inquiere la clave en el sentido estructural de la obra (desorden>orden). Frente al realismo hasta entonces destacado en el contenido de la obra, L. Spitzer (1955) quiere descubrir el sentido platónico que domina en los aspectos implicados en su invención; el amor así pasa a un primer término, y por esa vía siguen B. Wardropper (1956), W. C. McCrary (1961), E. W. Hesse (1967-1968). En esta línea están mis estudios (1965 y después 1969). Sobre el léxico del amor de la obra, F. Weber de Kurlat (1983) hizo un fino examen de la terminología usada, y su sentido y cohesión en los dos sentidos del *amor purus* (Laurencia y Frondoso) y el *ferinus* (Comendador). J. Lara Garrido (1979) examinó la gran complejidad de las teorías estructurales aplicadas a la obra; y lo mismo hizo J. J. García (1981). J. Herrero (1970-1971) relaciona la obra con la función política de los Reyes Católicos, que combaten a las fuerzas de una anarquía señorial que impide el dominio de la paz y el amor en el reino. También en cuanto a la política propia de los personajes de alto rango de la comedia, B. Herrera Montero (1989) explora los reflejos maquiavélicos de la obra y, desde este punto de vista, el Comendador sería el que menos atiende los consejos del buen gobierno del italiano y los Reyes Católicos, los que más. En otro sentido, para W. R. Blue (1991), la exaltación de los Reyes Católicos al fin de la comedia implica un sentido de política utópica.

Los estudios sobre estos aspectos de los motivos y estructura de la obra se establecen en relación con otras cuestiones que aparecen como implícitas en el curso de la trama. Si en la obra hay un enfrentamiento entre una comunidad y su señor que se excede en su gobierno, esto trae consigo el asunto de la tiranía, aplicado a la comedia. La figura del Comendador considerado como tirano atrae a la crítica; frente a los que ponen el énfasis en que en esta comedia se crea el personaje *pueblo* en una función moderna y que por eso él es el protagonista de la obra, hay otros que, con un criterio opuesto, destacan la figura del Comendador como dominante y decisiva, y la que orienta su curso. Esto ocurre por su gallardía desaforada y por ser su conducta la antítesis de lo que cabía esperar de un caballero de Calatrava, dominado por la violencia impetuosa de su empuje sexual (M. J. Ruggiero, 1995).

A. Gómez-Moriana (1968) ha planteado las cuestiones del derecho de resistencia y el tiranicidio consecuente, dentro del cual se sitúa la obra, junto con otras. De un orden semejante es el estudio de J. Sánchez Boudy (1981), referido al derecho penal en el teatro de Lope. C. Serrano (1971) estudió los sentidos de la tiranía dentro de una obra que es a la vez nobiliaria y revolucionaria. Y R. Carter (1977), los enlaces de la comedia con la teoría política.

R. L. Fiore (1975) se ocupó de la ética de la ley natural de origen escolástico en los Siglos de Oro; este influjo fue tan importante que llegó a formar un estado de opinión común, dentro del cual se conforman algunas de las comedias; y en este marco trata de *Fuente Ovejuna, La mejor espigadera* de Tirso de Molina y de tres autos de Calderón. En la parte correspondiente a nuestra comedia (pp. 14-22), indica que la acción dramática sigue el curso de la ley natural, de acuerdo con la ética aristotélico-tomista; la muerte del Comendador es un castigo de origen divino, y el orden natural se restaura con la intervención de los Reyes, que así sirven los designios de Dios. E. Forestieri (1972) insiste en el motivo de la apreciación revolucionaria del bien común.

De todas maneras, *Fuente Ovejuna* no es la única obra en que se plantea un caso de esta naturaleza; la comedia nueva se vale del asunto, como ocurre, por ejemplo, en Guillén de Castro que también lo trata, pero sin tanta fortuna como lo hizo Lope, según estudia M. Delgado Morales (1983).

De estas cuestiones se pasa a otras, enlazadas de algún modo con las anteriores. Una de ellas es la que toca al honor, también el de los aldeanos, tratado, incluso con exceso, por A. Almasov (1963); A. A. Parker (1943) había insistido en la importancia del honor en la obra, como corroboraría J. Matas (1981), tanto el de los villanos, como el que es propio del Comendador, según la concepción que los unos y el otro tienen del mismo en cuanto a su función social y en la repercusión en sus propias vidas. F. A. Feito (1981) relaciona los factores *amor-honor-honra* para constituir el código dominante en la obra. El que Laurencia defienda su honor y excite al pueblo a la venganza es un rasgo que destaca D. Sacks (1989) como propio de una conciencia feminista, pues entonces hace suyo el lenguaje heroico, comúnmente monopolizado por los hombres (vv. 1723-1793 y 1815-1848).

Desde los juicios de Menéndez Pelayo hasta esta variedad de orientaciones en los estudios referidos, se recorre un gran número de dominios, según el criterio con el que se examina la obra. *Fuente Ovejuna* se convierte así en un documento cultural sobre el que se verifican las distintas lecciones: desde la propiamente dramática como tal pieza teatral, recuperada como obra "clásica" de la literatura española, hasta su interpretación como testimonio de aspectos de la historia política y social de la época de origen, establecida según la consideración de Lope de Vega en la obra que él inventa; y luego, de las sucesivas aplicaciones de la comedia a la historia de la Europa moderna que de algún modo enlazan con ella. La sucesiva fortuna de *Fuente Ovejuna* radica (como indica F. Ruiz Ramón, ed. 1991, pp. 30, 31, 54 y 55) en que no hay comedia semejante en el teatro occidental europeo de la época en la que el pueblo (aquí el colectivo de Fuente Obejuna) aparezca como un héroe dramático de tanta enjundia, defendiendo su honra y dignidad personales. El acierto mayor de Lope es haber logrado configurar el personaje colectivo que es el *pueblo,* partiendo de lo que les ocurre a los varios personajes individualizados de la comedia; esta consideración del pueblo asegura en el teatro europeo la intervención en la escena de este personaje colectivo de una manera moderna en relación con los coros antiguos. En las notas de mi edición destaco este proceso dramático, sumo hallazgo de Lope para lograr la representación de Fuente Obejuna, nombre de un lugar concreto en la geografía de España, propicio para designar una acción colectiva.

9. FORMALIZACIÓN DE "FUENTE OVEJUNA"

La expresión de los personajes queda determinada por el asunto y su condición, y esto procede del núcleo argumental de la *Chrónica* de Rades y de todo cuanto pudo rodearla en el conocimiento que del asunto tenía Lope. Esto ocurre en un principio con la onomástica de la obra. Unos tenían nombre propio obligado: el Comendador, el Maestre, algunos señores y los Reyes; y otros son los vecinos del lugar, con sus cargos locales, y las mujeres y los niños de la villa. Lope inventó la trama teatral con estos innominados (a los que él dio un nombre adecuado para cada uno, un bautizo intencionado) y sostuvo la noticia histórica con aquellos y sus servidores. Los villanos son aldeanos y por eso usan en algunos casos rasgos del habla rústica, pero la mencionada presión de la literatura pastoril hace que también en muy determinados lugares se valgan de términos cultos y traten de cuestiones de orden legal y filosófico. Por otra parte, los caballeros de la Orden y de la casa del Rey se valen del lenguaje de los personajes nobles de la comedia, y sólo el Comendador cae a veces en la desmesura para así mejor acentuar su carácter y poner de manifiesto un destino que había de resultar trágico.

La condición arcaizante de la obra, situada para el sentir histórico de Lope en una perspectiva del pasado, influye poco, y justifica algunos casos como el uso de las coplas, tan escaso en Lope, y no impide el anacronismo que pudiera apreciarse en algunas partes. Por lo demás, el arte de Lope modela la expresión dentro de la variedad métrica con el estilo apresurado de su teatro, en el que cabe la oración monstruo (como la llama H. Hoock) de 34 versos[31] o el restallante diálogo de la tragedia de la rebelión,[32] que rompe las estrofas en fragmentos de gritos. Hoock analizó algunos rasgos, como el hipérbaton, frecuente en la comedia, aunque no excesivo;[33] el uso de oraciones afectivas que rompen y eliden los enlaces lógicos[34] y favorecen las exclamaciones, propio de la tensión emocional de la obra.[35] Más particular es la frecuencia con que se repiten términos semejantes en versos bastante cercanos; como en: Jacinta: *Míralo bien.* Com.: Para tu mal *lo he mirado.*[36] Lope lo había dicho en

[31] 69-103.
[32] 1848-1919.
[33] H. Hoock, *Lope,* p. 120-122.
[34] *Ídem.,* p. 126-127.
[35] *Ídem,* p. 133-137.
[36] V. 1267-1268.

el *Arte Nuevo:* "las figuras retóricas importan —como repetición o anadiplosis",[37] Lope logra una retórica "natural", adecuada para el curso dramático, sin apenas violencias.

Lope establece así un cauce expresivo convenientemente matizado en relación con lo que acontece en la escena. No se olvide que Lope tituló la comedia directamente como *de Fuente Ovejuna,* como si esto fuese suficiente para orientar a los espectadores antes de la representación y en la cabecera de la impresión. Por eso, por entre la línea básica de la *Chrónica* y el núcleo de los amores de Laurencia y Frondoso, intercaló los episodios que creyó adecuados y que poco tienen que ver con la línea principal del argumento (así la escena IV del acto primero y la I del acto segundo); esto forma parte de la ensambladura de la comedia, en la que tan maestro era Lope. El ajuste total de la obra indica que es una pieza escrita probablemente con premura, sumando piezas fáciles en el conjunto de una trama que, en cierto modo, le era obligada. Y hay que contar también con lo que luego los autores de las compañías hiciesen en la interpretación de la obra. Las canciones son un recurso muy propio del teatro de Lope; servían para dar animación a la obra sobre la escena, y en este caso las usa también y logra, por entre algunas que son muy sencillas, casi vulgares y hasta ramplonas, el supremo acierto de la canción "Al val de Fuente Ovejuna" (L. Estrada, 1971). Esto hizo que, por entre la ascendente valoración y triunfo de la obra, no dejasen de oírse algunos avisos sobre la estricta elaboración de *Fuente Ovejuna,* sobre todo si se la compara con los otros grandes aciertos de la colección de las comedias del autor. G. Sobejano indica que la obra no se salva por su valor artístico, sino por lo que importa en la historia de las

[37] Juan Manuel Rozas, *Significado y doctrina del "Arte Nuevo" de Lope de Vega,* Madrid, SGEL, 1976, pp. 134-135 y vs. 313-318. Anadiplosis en 969-970 y 1075-1076; con poliptoton, 346-347, 797-798 y 1906-1907, etcétera.

ideas y de los sentimientos.[38] Después de la valoración realista de Menéndez Pelayo, el análisis de signo idealista de la comedia ha conducido a una perspectiva muy diferente y hasta paradójica. En este caso el estilo de Lope reviste de expresión un curso complejo, en el que historia y ficción, intención noticiera y apreciación utópica, se mezclan de manera que pueden confundir al espectador actual; para Lope todo era materia poética, y este fluir apasionado y desconcertante es su estilo.

Que *Fuente Ovejuna* fue obra escrita aprisa y en parte reuniendo material en cierto modo común a la literatura de la época, e impresa, como tantas otras, de manera un tanto descuidada, no implica que Lope haya logrado con ella un extraordinario acierto poético de condición dramática.

La comedia matiza el estilo según la situación de los personajes, y en el fondo de este acondicionamiento encuentro dos tensiones diferentes que la caracterizan: una es la que impulsa la corriente que, emergiendo de la pasión del argumento, alcanza hasta los "apellidos" o gritos colectivos; y la otra es la que esparce por la obra un aire sentencioso, que cuadra con la condición del hombre del campo.[39] El apasionamiento que va encendiéndose elimina poco a poco la retórica inicial y favorece las formas más directas; así el proceso de los amores de Laurencia y Frondoso es bien poco lírico en sí mismo, y el desarrollo de la parte noticiera de la obra (hechos de Ciudad Real) adopta el aire y el ritmo del romance narrativo, ateniéndose a la *Chrónica* como fuente. Pero al mismo tiempo, el sustrato filosófico de *Fuente Ovejuna,* partícipe de la literatura pastoril, es esencial para orientar el carácter de la obra. Se apoya en

---

[38] No encuentra "un solo tramo de conseguida hermosura poética", Gonzalo Sobejano, reseña, *Papeles de Son Armadans,* LXXXIII, 1963, p. 205.

[39] Véase F. López Estrada, "Los villanos filósofos y políticos..." (1969), donde estudio esto con pormenor.

una filosofía "natural", y de ella participan los villanos de la comedia como hombres de campo, y de esta condición sacan los rasgos rústicos, pero también dignos, y las ideas, sólo verosímiles en la escena. Este fondo y la lección política y moral que se desprende del mal ejemplo del gobierno injusto orientan la otra dirección del estilo de la comedia: su sentenciosidad,[40] que hace que en ella se formulen en el curso de la trama una teoría de deducciones que adoptan el aire de aforismos hasta el mismo límite del refrán, con una enunciación muchas veces impersonal y generalizadora. Los personajes participan en este goteo de una enseñanza que justifica en cierto modo que un caso de esta naturaleza se exhiba sobre las tablas ante el público de la comedia española.

De las funciones de los gritos de rebelión (en los que culmina la discordia que provoca y atiza el Comendador) y de las canciones, sobre todo de la del val de Fuente Obejuna, me ocupé en sendos estudios, mencionados en la bibliografía, que sirven de complemento a este prólogo y que por su extensión no pudieron figurar en el mismo. En las notas de la edición se encontrarán las convenientes referencias a estos elementos que sostienen la estructura pasional, sentenciosa y lírica de la obra.

Me pareció muy conveniente para sugerir los efectos de la representación de la obra en los corrales de la época, señalar el movimiento y situación de los personajes en la escena. En esta edición y entre corchetes, indico los lugares en que ocurre la acción, que son muchos y cambiantes, y también en las notas hago indicaciones sobre esta cuestión. La comedia requiere una pluralidad de escenarios que se manifestaría en forma muy elemental, a veces por su sola evocación con la palabra y contando con pocos elementos escenográficos de

[40] R. D. F. Pring Mill, "Sententiousness in *Fuente Ovejuna*", *Tulane Drama Review,* VII, 1962, pp. 5-37, cuenta hasta 63. Y sobre los refranes, Jean Canavaggio, "Lope de Vega entre refranero y comedia" *Lope de Vega y los orígenes del teatro español,* Madrid, Edi-6, S. A., 1981, pp. 83-98.

arquitectura efímera; alguno de los diálogos, como el de los tormentos, ocurre en el trasfondo del escenario y sólo se oyen las voces. Otra cuestión que indico entre corchetes es la numeración de las escenas, de la que carece el original impreso; este dato no debe interferir la continuidad de la comedia y sirve sólo para ordenar estas partes y facilitar el comentario. Por tanto, se trata sólo de un recurso pedagógico y no debe desviar la atención del lector que no puede ser espectador, aunque debe imaginárselo en lo posible. El lector ha de contar con que todo ocurre en una fluencia dramática ininterrumpida a través de los actos, en la que la palabra de los personajes es lo que mantiene la continuidad de los hechos escénicos. En la época de Lope, el autor o representante que dirigía a los actores acomodaría el texto a lo que eran las mejores condiciones dramáticas para la compañía que había de representar la obra.

La complejidad que esconde la aparente sencillez de la trama de la comedia hizo posible el gran número de estudios que diversifica su consideración en aspectos parciales que algunos tienen por decisivos para su intención. No falta tampoco el tratamiento de la obra en su total entidad estrictamente dramática, reuniendo sobre ella la teoría poética conveniente; tal es el propósito del prólogo del historiador del teatro F. Ruiz Ramón (ed. 1991), al que me refiero en varias ocasiones. La entidad teatral de la obra, de manifiesto ante los públicos que la convierten en realidad estética, es la que ha ido enriqueciendo la consideración de la obra como hecho artístico y como hecho cultural (a veces difícilmente separables), aplicables en un ámbito cada vez más extenso y circunstanciado.

10. "FUENTE OVEJUNA" EN LOS TIEMPOS MODERNOS

Ya señalé lo poco que sabemos de *Fuente Ovejuna* en su tiempo. Fue una comedia más entre el océano de títulos de la comedia nueva. Hay que llegar a los tiempos

modernos, después del Romanticismo, para testimo-
niar curiosidad e interés creciente por la obra de Lope.
T. J. Kirschner (1977) se ocupó de la difusión de las nuevas ediciones y de las representaciones que obtuvo la
obra. En 1822 J. B. d'Esménard la traduce al francés, y
en 1861 lo hace M. Damas Hinard; al alemán la vertió el
hispanista A. F. conde de Schack (1845) y la tuvo
en notable estima en sus estudios, contribuyendo a que
se conociese en la Historia de la Literatura de ámbito
europeo y logró atraer la atención de Menéndez Pelayo
sobre ella.

Fue en Rusia donde las representaciones de *Fuente
Ovejuna* comenzaron a triunfar sobre las tablas: un
escritor, S. Iurev, aficionado al teatro español, la tradujo
y se representó con gran éxito desde 1876 y se publicó
en 1877; luego, en el período de la Rusia soviética, la obra
convenientemente adaptada, siguió en los escenarios;
en 1937 se convirtió en ballet con el título de *Laurencia*.

El proceso de la difusión escénica de la obra acom-
paña en un curso paralelo el creciente interés de la crítica por la comedia y la sucesión de ediciones de la
misma en el siglo actual, después de que Menéndez
Pelayo la pusiera de relieve por entre el numeroso teatro de Lope de Vega. Uno de los motivos por los que
Fuente Ovejuna sigue representándose es por la espec-
tacularidad dramática que le es propia. Lope sabía muy
bien que el teatro era un género diferente de los otros
literarios: el escritor tenía que prender la atención de los
espectadores de una manera total durante la representación. En *Fuente Ovejuna* se dejó llevar por este ins-
tinto teatral que tan suyo era, y acertó en el conjunto,
aunque los elementos en juego fueran comunes con los
de otras comedias. Es la maestría de su combinación, el
ritmo fluyente del curso escénico, lo que produce
el efecto que logra fascinar a los espectadores, tanto a
los de ayer, como a los de hoy.

La representación de *Fuente Ovejuna* fue siempre una
tentación para los directores de escena y actúa como un
reto a su destreza. La flexibilidad del curso argumental

hizo que hubiese que retocar de algún modo un texto que no está escrito para el público de nuestra época. El texto es sólo un elemento del conjunto, que los directores matizan según su conveniencia, dentro de unos límites que a veces son circunstanciales. El tono aldeano alterna con el de los personajes señoriales; el aldeano se matiza en grados de rusticidad diversos, y ha de ser ingenuo y violento a la vez. El señorial ha de mantener su empaque, aun siendo indigno en su humanidad como ocurre con el Comendador. Junto a las figuras de una personalidad definida (los enamorados), los que tienen cargos concejiles van poco a poco aglutinando en torno de sí el personaje colectivo, el pueblo de Fuente Obejuna, que acaba por ocupar la totalidad de la escena y asume la función decisiva en la muerte del Comendador. El enfrentamiento entre este inesperado personaje y el Comendador y sus gentes resulta genial y estremecedor. Todo va hacia la tragedia, y ésta ocurre en la escena, pero luego se impone el final feliz de la farsa, porque aquello, lo sabe bien Lope, es una comedia, aunque también participa de la tragedia (R. R. MacCurdy, 1971).

En la representación, el director impone un ritmo determinado al curso de la obra, dentro de la visualidad escenográfica conveniente para su intención; y la labor del que prepara y acomoda el diálogo de los personajes completa la empresa. Esto le obliga a retocar el texto, y de cómo lo haga depende de la intención final del caso, a veces comprometida por elementos ajenos a la estricta esencia dramática de la obra original. En cierto modo, la función del "autor" (representante y director en los Siglos de Oro) sigue actuando en la necesidad de acomodar el texto de 1619 para una representación actual. La modificación más común, sobre todo si se quiere resaltar una interpretación moderna de los valores sociales de la obra que pone de manifiesto el personaje colectivo *pueblo,* consiste en cortar la parte final en que intervienen los Reyes Católicos. Esto no conviene con la intención de

Lope, que escribió una *tragi-comedia,* y con el corte se queda sólo en tragedia y pierde la parte de comedia, esencial para el autor.

En esta difusión intervinieron grupos de teatro universitario y de ensayo, sobre todo con la intención de representar   algo diferente al teatro común de la época. Uno de estos grupos, el de La Barraca, en tiempos de la República representó la obra en diversos lugares en un tablado itinerante, y en esta labor intervino F. García Lorca, como refiere S. W. Byrd (1984); Lorca se muestra partidario de que, en estos acomodos para una interpretación moderna de *Fuente Ovejuna,* se corten partes del texto antiguo, pero que no se modifiquen. M. Xirgu y E. Borrás también contribuyeron a su difusión en el teatro oficial de esta época de la República. El contenido de *Fuente Ovejuna* es de tal naturaleza que, dirigida y preparada convenientemente, puede servir lo mismo para su escenificación en 1919 promovida por el Comisariado del régimen soviético (A. Almasov, 1973), que para otra en 1935 en un teatro de Hamburgo durante el régimen nacionalsocialista (A. W. Seliger, 1984). La última de las actuales que conozco fue la del Teatro de la Comedia de Madrid, dirigida por A. Marsillach y adaptada por C. Bousoño (1995). A esta atracción de la obra sobre la escena, corresponde otra en el grado de la impresión, como muestran las numerosas ediciones de la obra, sobre todo en colecciones de índole universitaria.

11. MÉTRICA DE LA COMEDIA

En cuanto a la métrica que usó Lope para la comedia, encontramos que en general es la común y propia de su teatro, y que sólo en algunos aspectos presenta particularidades notables. Dentro de los módulos generales que el autor estableció para la comedia española, el verso se acomoda al desarrollo de las situaciones

dramáticas según él mismo indicó en su teoría del teatro.[41] Los romances sirven para las relaciones;[42] el
soneto se usa como monólogo lírico cuando Laurencia
aguarda a Frondoso;[43] las octavas lucen al principio del
acto segundo para recoger la conversación del pueblo
en la plaza, primero referida a cuestiones generales y
después al caso de la villa,[44] y luego para la expresión de
la tragedia en la muerte del Comendador;[45] los tercetos
valen tanto para el ofrecimiento ingenuo de los vecinos
a su señor,[46] como para la gravedad de la conjura de los
mismos contra él.[47] Las redondillas son de uso general,
y sirven para todo, lo mismo que los romances. El pru-
dente acomodo de las formas métricas al asunto que
propugna Lope se verifica aquí, pero al lado de esto hay
un conjunto de particularidades métricas que son pecu-
liares de *Fuente Ovejuna:* a) el uso de las coplas,[48] único
en las comedias de Lope;[49] estas coplas aparecen en
relación con coplillas de estribillo, y presentan en algunos versos la fluctuación silábica de la poesía popular; b)
el uso del esdrújulo en la rima en las octavas[50] y con
matiz cómico,[51] bastante escaso.[52] También es poco el
uso que se hace en la obra del verso suelto.[53]

---

[41] Véanse las normas del *Arte nuevo* en F. Sánchez Escribano y A. Porqueras, *Preceptiva dramática española,* Madrid,
1965, p. 133-134, v. 305-312.
[42] Acto primero: 69-140, 457-528, 655-698; II: 1103-1136; III:
1948-2027.
[43] Acto tercero: 2161-1274.
[44] Acto segundo: 860-938.
[45] Acto tercero: 1848-1919.
[46] Acto primero: 545-578.
[47] Acto tercero: 1652-1711.
[48] Acto segundo: 1503-1509; III: 2035-2042, 2047-2053, 2061-
2067; con las coplillas de estribillo II, 1472-1474; y III, 2054-2056.
[49] Morley y Bruerton, *Cronología,* p. 184.
[50] Acto segundo, ocho versos entre 861 y 878.
[51] Acto tercero: 2066-2067.
[52] Morley y Bruerton, *Cronología,* p. 187.
[53] Acto segundo: 1449-1471, con cuatro pareados intercalados.

Las rimas de *Fuente Ovejuna* dan la impresión de que Lope escribía apresuradamente la comedia, aun contando con la fluidez del lenguaje escénico, que permite una libertad más acusada que en el caso de la lírica. Por esto se encuentran rimas consonantes mezcladas entre las asonancias de los romances, rimas asonantes entre las estrofas consonantes, abundancia de rimas con palabras iguales o modificadas con prefijos o con relación morfológica.[54] Si bien esto ocurre con frecuencia en comedias de Lope y otros autores, indica que el texto no sufrió al parecer una cuidadosa revisión cuando pasó a la imprenta ni fue publicado en otra ocasión. En cuanto a la numeración de los versos, no cuento el que falta después del 815 ni tampoco el que falta después del 2209; añado y cuento los dos versos que siguen al 2054 para completar la coplilla.

El desarrollo de la comedia se verifica métricamente de la siguiente manera:

Acto primero

Escena	N.º de orden de los versos[55]	N.º de estrofas	N.º de versos	Forma métrica
I	1-40	10	40	Redondillas abrazadas
II	41-68	7	28	Redondillas abrazadas
II	69-140	–	72	Romance de rima: á-o

[54] Ejemplos son: en un romance riman juntos: guarnece-parece (492-494). En una redondilla se encuentra esta rima: villanaje-ciudades, calidades-ataje (999-1003). En los versos 37 y 40 hay la rima con la misma palabra *él,* etc. Véase el pormenor de esto en H. Hoock, *Lope,* pp. 166-170; el lector tendrá ocasión de apreciarlo en la obra.

[55] La indicación del asterisco significa que la transición de una escena a otra rompe la unidad estrófica, y entonces la estrofa se reparte entre el fin de la escena anterior y el comienzo de la siguiente, y esto da mayor fluidez al curso oral de la escena. En las rimas, la letra mayúscula indica la consonante, y la minúscula la asonante.

II	141-172	8	32	Redondillas abrazadas
III	173-274	25,1/2	102	Redondillas abrazadas
IV	*275-444	42,1/2	170	Redondillas abrazadas
V	445-456	3	12	Redondillas abrazadas
V	457-528	–	72	Romance de rima: é-e
VI	529-544	–	16	Romance hexasílabo de rima: ó-e
VI	545-578	10	30	Tercetos, más cuarteto de cierre
		1	4	
VI	579-590	3	12	Redondillas abrazadas
VI	591-594	–	4	Romance hexasílabo de rima ó-e
VII	595-634	10	40	Redondillas abrazadas
VIII	635-654	5	20	Redondillas abrazadas
IX	655-698	–	44	Romance de rima: é-o
IX	699-722	6	24	Redondillas abrazadas
X	723-778	–	56	Romance de rima: ó-o
XI	779-818	–	40	Sigue el romance de rima: ó-o (falta un verso)
XII	819-832	–	14	Sigue el romance de rima: ó-o
XIII	833-859	–	27	Sigue el romance de rima: ó-o

Acto segundo

Escena	N.º de orden de los versos	N.º de estrofas	N.º de versos	Forma métrica
I	860-891	4	32	Octavas reales
II	892-930	5	39	Octavas reales (falta un verso)
III	931-938	1	8	Octavas reales
IV	939-1022	21	84	Redondillas abrazadas
V	1023-1102	20	80	Redondillas abrazadas
VI	1103-1136	–	34	Romance con rima: é-a
VII	1137-1184	12	48	Redondillas abrazadas
VIII	1185-1204	5	20	Redondillas abrazadas
IX	1205-1216	3	12	Redondillas abrazadas
X	1217-1252	9	36	Redondillas abrazadas
XI	1253-1276	6	24	Redondillas abrazadas
XII	1277-1316	10	40	Redondillas abrazadas
XIII	1317-1448	33	132	Redondillas abrazadas

XIV	1449-1471	–	23	Versos sueltos con cuatro pareados intercalados.
XV	1472-1474	1	3	Coplilla de estribillo (6a-5-6a)
XV	1475-1502	7	28	Redondillas abrazadas
XV	1503-1509	1	7	Copla (8A-8B-8B-8A-8A-8c-8c)
XV	1510-1545	9	36	Redondillas abrazadas
XV	1546-1569	–	24	Romance de rima: á-a, con dos seguidillas de estribillo (8-8a-8-8a-8-8a-8-8a + 7-5a 7-5a, y repetido otra vez).
XVI	1570-1651	–	82	Romance de rima: á-e

Acto tercero

Escena	N.º de orden de los versos	N.º de estrofas	N.º de versos	Forma métrica
I	1652-1657	2	6	Tercetos
II	1658-1711	18	54	Tercetos
III	1712-1814	–	103	Romance con rima: ó-e
IV	1815-1847	–	33	Sigue el romance con rima: ó-e
V	1848-1879	4	32	Octavas reales
VI	1880-1887	1	8	Octavas reales
VII	1888-1919	4	32	Octavas reales
VIII	1920-1947	7	28	Redondillas abrazadas
IX	1948-2027	–	80	Romance de rima: é-e
X	2028-2030	1	3	Coplilla de estribillo: 6-6a-6a (en relación con 2035-2042 y 2047-2056)
X	2031-2034	1	4	Redondilla abrazada
X	2035-2042	1	8	Copla (8A-8B-8B-8A-8A-8C-6c-7C)
X	2043-2046	1	4	Redondilla abrazada
X	2047-2053	1	7	Copla (8A-8B-8B-8A-8A-8C-7C)
X	2054-2056	1	3	Coplilla de estribillo: (6-6a-6a) (en relación con 2061-2067)
X	2057-2060	1	4	Redondilla abrazada

X	2061-2067	1	7	Copla (8A-8B-8B-8A-8A-8C-7C)
X	2068		1	Verso de los músicos que en relación con las dos coplillas precedentes, pudiera cerrar la última.
X	2069-2112	11	44	Redondillas abrazadas
XI	2113-2124	3	12	Redondillas abrazadas
XII	2125-2160	9	36	Redondillas abrazadas
XIII	2161-2174	1	14	Soneto (tipo B: CDECDE)
XIV	2175-2257	21	83	Redondillas abrazadas (falta un verso)
XV	2258-2281	6	24	Redondillas abrazadas (el verso 2263 está incompleto)
XVI	2282-2289	2	8	Redondillas abrazadas
XVII	2290-2309	5	20	Redondillas abrazadas
XVIII	2310-2345	9	36	Redondillas abrazadas
XIX	2346-2357	3	12	Redondillas abrazadas
XX	2358-2385	7	28	Redondillas abrazadas
XXI	2386-2453	17	68	Redondillas abrazadas

V. Dixon[56] ha estudiado el uso de la versificación de *Fuente Ovejuna* en cuanto a su acomodo con el curso de la acción, destacando sobre todo la función de las formas métricas (y musicales) de los cantos en el conjunto de la obra, que se encontrarán tratadas en las notas de esta edición. Nota también la discrepancia con *Peribáñez,* que pudiera parecer una comedia próxima.

FRANCISCO LÓPEZ ESTRADA

---

[56] Victor Dixon, "The Study of Versification as an Aid to Interpreting the *Comedia:* Another Look at Some Well-Known Plays by Lope de Vega", *The Golden Age Comedia. Text, Theory, and Performance,* West Lafayette, Ind., Purdue University Press, 1994, p. 384-402; la parte referente a *Fuente Ovejuna,* en pp. 390-393. Sobre las canciones, Gustavo Umpierre, *Songs in the Plays of Lope de Vega,* Londres, Tamesis, 1975.

BIBLIOGRÁFÍA SELECTA

A) La "Fuente Ovejuna"
de la *Dozena Parte* de Lope

Fuente Ovejuna es la última de las comedias de la *Dozena Parte* (Madrid, por la viuda de Alonso Martín, 1619, fols. 262v-280v). Esta *Dozena Parte* contiene: *Ello dirá, La sortija del olvido, Los enemigos en casa, La cortesía de España, Al pasar del arroyo, Los hidalgos del aldea, El Marqués de Mantua, Las flores de don Juan y rico y pobre trocados, Lo que hay que fiar en el mundo, La firmeza en la desdicha, La desdichada Estefanía y Fuente Ovejuna.*

De esta *Dozena Parte* se conocen dos series de impresiones: una con el escudo de los Cárdenas y otra con el emblema del Sagitario (véanse las portadas en las ilustraciones correspondientes). Estudió estas dos series C. E. Anibal ("Lope de Vega's *Dozena Parte", Modern Language Notes,* XLVIII, 1932, pp. 1-7), que designa a la primera (escudo de los Cárdenas) como A y a la otra (emblema del Sagitario) como B. Pero del examen de los ejemplares conservados han surgido más diferencias: Victor Dixon (reseña de mi edición en su primera impresión de 1969, *Bulletin of Hispanic Studies,* XLVIII, 1971, pp. 354-356) señaló la existencia de unas pocas variantes en emisiones diferentes de la serie A, que M. G. Profeti en su edición de *Fuente Ovejuna,* 1978, denominó A, A$_1$ y A$_2$.

El minucioso estudio bibliográfico realizado por J. Moll Roqueta[1] sobre dos pliegos de la primera edición de la *Fuente*

---

[1] Jaime Moll Roqueta, "Correcciones en prensa y crítica textual. A propósito de *Fuente Ovejuna", Boletín de la Real Academia Española,* LXII, 1982, pp. 159-171.

Ovejuna de Lope, efectuado sobre cinco ejemplares de la obra, establece la conclusión de que la serie o edición con la portada del estudio nobiliario (A) fue la primera y, por tanto, antecede a la que ostenta el Sagitario (B), ambas reproducidas en las ilustraciones de esta edición; y que las otras variantes de A corresponden a emisiones de dichas ediciones, hechas en la imprenta en el curso de las labores de la impresión. Parece ser, como propone J. Moll, que estas "correcciones en prensa reflejan una edición hecha con prisas";[2] esto significa que, como indiqué antes, la labor de imprenta de esta *Dozena Parte de las Comedias de Lope de Vega Carpio* correspondía a una clase de trabajos poco cuidados.[3] Esto era propio de las ediciones de las obras de la comedia nueva, cuando, como en el caso de Lope, las obras reunidas en cada volumen (o *Parte*) eran tantas, y las *Partes* se repetían con alguna frecuencia. Y además no sabemos qué manuscrito pudieran tener delante los operarios de la imprenta; no creo que, en este caso, fuese uno de mano de Lope, y lo más probable es que se valiesen de alguna copia (¿de algún "autor"?) que les hubiese entregado el propio Lope, sin que nos conste que lo hubiese repasado con atención. Cuando se publicaba una comedia, el impresor sabía que reproducía un texto que los cómicos variaban sobre la escena en la medida de las necesidades dramáticas de cada representación, dentro de las exigencias rítmicas del caso. Cuestiones como el régimen pronominal, la *a* embebida en una palabra que comienza con ella, las formas verbales oscilantes, las terminaciones *-ldo-dlo,* etc. pueden atribuirse a esta relativa libertad.

De este enmarañado conjunto, que requiere un estudio bibliográfico completo de la *Dozena Parte,* tengo aquí en cuenta los ejemplares de la Biblioteca Nacional de Madrid siguientes: serie B (R-13863); serie A (R-14105); y serie A₂ (R-24983). Con la sola referencia A indico en el texto que es común a las series A y A₂, y sólo haré indicación específica de las diferencias entre A y A₂ cuando lo requiera el caso.

Las variantes que aportan estas series y emisiones no son sustanciales; la más importante consiste en el verso 1490 que sólo trae el texto B pero no el A ni el A₂; y que resulta necesario para completar la redondilla a la que pertenece. Otras

---

[2] *Ídem,* p. 171.
[3] Una relación de estas variantes se encuentra consignada en la edición Dixon (pp. 214-216) y en la de McGrady (pp. 163-166).

variantes de B son erratas y no las consigno en mis notas; así 260 *ver* frente a A *ven;* 938 *la* frente A *le;* 1138 *Pues ¿aquí tenéis temor aquí?* frente a A *Pues ¿aquí tenéis temor?;* 1737 *le* frente a A *la;* 1773 *ecñís* frente a A *ceñís.*

Lo mismo ocurre con otras variantes entre A y A$_2$; en A 468 *entien* mientras que en A$_2$ *entiende* (como en B); en A 472 *braçateles* y en A$_2$ *braçaletes* (como en B); en A 493 *corona* y en A$_2$ *coronado.*

En conjunto parece que se trata de leves correcciones que se iban incorporando en el curso de la impresión a medida que saltaban algunas letras de la plana o se reparaba en algún error subsanable con facilidad. Con estas leves variantes, el texto de *Fuente Ovejuna* ha quedado fijado de una manera relativamente uniforme; en esta edición las menciono para lograr en cada caso las que me parecen mejores lecciones. Así ocurre en los casos siguientes:

1) Es mejor A (común, como se dijo, a A y A$_2$) que B, además de las erratas antes citadas: 285, 750, 758, 913, 1021, 1471, 1607, 1639, 1873.
2) Es mejor B que A *(ídem):* 634, 1490, 1547, 1837.
3) Son todas aceptables: 18, 542, 776, 929, 930, 1096, 1514, 2124, 2331.
4) Es mejor A y B que A$_2$: 8.
5) Es mejor A$_2$ y B que A: 479, 1837.
6) Es mejor A que A$_2$ y B: 480.

Todo lo que he indicado pone de manifiesto que estos textos de las ediciones referidas, tratándose de una misma obra, son sólo aproximaciones al texto que escribió Lope, y al que los editores modernos sólo podemos acercarnos tratando de encontrar la que nos parece mejor lección de la obra. Termino refiriéndome a un episodio de la transmisión que favorece lo que digo. Un ejemplar de la Biblioteca Nacional de Madrid (R. 25127) está falto de los cuatro últimos folios; un antiguo poseedor del libro subsanó esta pérdida con la copia de un texto de la comedia que trae errores y omisiones, con variantes debidas acaso al mismo escribiente, y así ocurre con el v. 2263, cuya corrección mejora la lección.

Por lo demás, los ejemplares que tienen los preliminares completos presentan en el comienzo de la *Dozena Parte* el mismo contenido: la misma fe de erratas, que no menciona ninguna (Madrid, 14 de diciembre de 1618, firmado por el Licenciado Murcia de la Llana); igual tasa (Madrid, 22 de diciembre de 1618, por Diego González de Villarroel); igual aprobación (Madrid, 15 de agosto de 1618, por Vicente Espinel); la misma suma del privilegio (San Lorenzo de El Escorial, 6 de octubre de 1618); igual dedicatoria y versos a don Lorenzo Cárdenas; y el prologuillo de "El Teatro" al lector.

B) EDICIONES MODERNAS DE "FUENTE OVEJUNA"

Frey Lope Félix de Vega y Carpio, *Comedias escogidas de...,* juntas en colección y ordenadas por don Juan Eugenio Hartzenbusch, III, Madrid, 1857, pp. 633-650; tomo XLI de la *Biblioteca de Autores Españoles.*

Lope de Vega, *Obras de...,* publicadas por la Real Academia Española, edición de Marcelino Menéndez Pelayo, X, "Crónicas y leyendas dramáticas de España", Madrid, 1899, pp. 531-561. La introducción se reprodujo en los *Estudios sobre el teatro de Lope de Vega,* Santander, CSIC, 1949, V, pp. 171-182.

Después de estas ediciones, que fueron el punto de partida de la difusión de la obra, en lo que va de siglo la comedia ha obtenido un gran número de ediciones y traducciones, cuya relación se puede encontrar en las bibliografías de Lope y en los estudios sobre la obra; así en *Lope de Vega Studies 1937-1962,* de J. H. Parker y A. M. Fox, Toronto, Universidad, 1964, pp. 23-25 y 29-30.; también la bibliografía de las comedias históricas de F. Brown (1958, pp. 65-69) aporta la lista de ediciones hasta la fecha de la redacción, que también figura en el estudio de H. Hoock (1963), pp. XXVI-XXIX. De las ediciones de la obra, menciono aquí las más recientes, que citaré en las notas y en los prólogos y epílogo con el nombre del editor correspondiente: ed. Maria Gracia Profeti, Madrid, Cupsa, 1978 [Madrid, Planeta, 1981 y Barcelona, RBA, 1994, publicada junto con *El Caballero de Olmedo*]; ed. Jesús Cañas Murillo, Barcelona, Plaza y Janés, 1984; ed. María Teresa López García-Berdoy, Madrid, Castalia Didáctica, 1985; ed. Juan María Marín, Madrid, Cátedra, 1989 (3.ª ed.); ed. Victor Dixon, Warminster, Aris and Phillips, 1989 [1991]; ed. Francisco Ruiz Ramón, Salamanca, Clásicos Almar, Publicaciones del Colegio de España [1991]; ed. Donald McGrady, Barcelona, Crítica (Biblioteca Clásica), 1993; Rinaldo Froldi, Madrid, Espasa Calpe (Austral), 1995.

Guías para el estudio de la comedia: Enrique Rodríguez Baltanás, Barcelona, Laia, 1984; J. B. Hall, Londres, Grand and Cutler y Tamesis Books, 1985; e Isabel Ferreiro Villanueva, Barcelona, Daimon, 1986.

C) ESTUDIOS SOBRE LA COMEDIA "FUENTE OVEJUNA"

Como se habrá visto por el prólogo anterior, la bibliografía sobre *Fuente Ovejuna* es muy amplia. Los estudios sobre la comedia nueva y las biografías de Lope de Vega encuentran casi siempre ocasión de citar esta obra. En esta parte menciono sólo los estudios que se refieren a la obra de una manera general, sobre todo en lo que toca a la valoración crítica de la comedia en conjunto o en sus aspectos más importantes; en la Introducción hago mención a ellos indicando el nombre del autor y el año de la publicación, y en este apartado se encuentran las restantes referencias bibliográficas. Además, a lo largo de la Introducción y en las notas que siguen al texto de la edición, figuran otros estudios sobre un aspecto determinado de la misma con lo que expongo o anoto.

Abad, Héctor, "Estupro, linchamiento, canibalismo: dos *Fuenteovejunas." La metamorfosis e il testo. Studio tematico e teatro aureo,* Verona, Università, 1990, pp. 159-188.

Almasov, Alexey, "*Fuente Ovejuna* y el honor villanesco en el teatro de Lope de Vega", *Cuadernos Hispanoamericanos,* 54, mayo-junio, 1963, pp. 701-755.

Blue, William, R., "The Politics of Lope's *Fuenteovejuna*", *Hispanic Review,* LVI, 1991, pp. 295-315.

Brown, Robert, B., *Bibliografía de las comedias históricas, tradicionales y legendarias de Lope de Vega,* México, Academia (State University of Iowa), 1958.

Byrd, Suzanne, W., *La "Fuente Ovejuna" de Federico García Lorca,* Madrid, Ed. Pliegos, 1984.

Carter, Robin, "*Fuente Ovejuna* and Tyranny: some problems of linking drama with political theory", *Forum for Modern Language Studies,* XII, 1977, pp. 313-336.

Casalduero, Joaquín, *Fuenteovejuna,* publicado por vez primera en la *Revista de Filología Hispánica,* V, 1943, pp. 22-44; y en *Estudios sobre el teatro español,* Madrid, Gredos, 1981, pp. 24-55.

Delgado Morales, M., "Guillén de Castro y las teorías políticas sobre el tiranicidio y el derecho de resistencia", *Bulletin Hispanique*, LXXXV, 1983, pp. 65-85.

Dixon, Victor, "«Su Majestad habla, en fin, como quien tanto ha acertado», La conclusión ejemplar de *Fuente Ovejuna"*, *Criticón*, XLII, 1988, pp. 155-168.

——, "Arte nuevo de traducir comedias en este tiempo: hacia una versión inglesa de *Fuenteovejuna"*, *Traducir los clásicos*, *Cuadernos de teatro clásico*, n.º 4, 1989, pp. 11-25. Se refiere a la traducción publicada paralelamente al texto español en la edición de 1989.

Feito, Francisco, E., "*Fuenteovejuna* o el álgebra del amor", *Lope de Vega y los orígenes del teatro español*, Madrid, Edi-6, S. A., 1981, pp. 391-398.

Fiore, Robert, L., *Drama and Ethos: natural Law Ethics in Spanish Golden Age Theater*, Lexington, University Press of Kentucky, 1975.

Forasteri Braschi, Eduardo, "*Fuente Ovejuna* y la justificación", *Revista de Estudios Hispánicos*, 1-4, 1972, pp. 89-99.

García, Juan José, "Semiótica en *Peribáñez* y *Fuenteovejuna"*, *Lope de Vega y los orígenes del teatro español*, Madrid, Edi-6, S. A., 1981, pp. 279-281.

Gerli, E. Michael, "The Hunt of Love: The Literalization of a Metaphor in *Fuenteovejuna"*, *Neophilologus*, LXIII, 1979, pp. 54-58.

Gómez-Moriana, Antonio, *Derecho de resistencia y tiranicidio. Estudio de una temática en las "comedias" de Lope de Vega*, Santiago de Compostela, Porto y Cía., 1968.

Gouldson, Kathleen, "The Spanish Peasant in the Drama of Lope de Vega", *Bulletin of Spanish Studies*, XIX, 1942, pp. 5-24.

Gutierrez Nieto, Juan I., "Semántica del término *comunidad* antes de 1520. Las asociaciones juramentadas de defensa", *Hispania*, CXXXVI, 1977, pp. 319-467.

Herrera Montero, Bernal, "*Fuenteovejuna* de Lope y el maquiavelismo", *Criticón*, XLV, 1989, PP. 131-153.

Herrero, Javier, "The New Monarchy: a Structural Reinterpretation of *Fuenteovejuna"*, *Revista Hispánica Moderna*, XXXVI, 1970-1971, pp. 173-185.

Hesse, Everett, W., "Los conceptos del amor en *Fuenteovejuna"*, *Revista de Archivos, Bibliotecas y Museos*, LXXV, 1969-1972, pp. 305-323.

Hoock, Helga, *Lope de Vegas* Fuente Ovejuna *als Kunstwerk*, Würzburg, Gugel, 1963; citado: H. Hoock, *Lope*.

Kirschner, Teresa, J., "Sobrevivencia de una comedia: historia de la difusión de *Fuenteovejuna*", *Revista Canadiense de Estudios Hispánicos,* I, 1977[1], pp. 255-271.

——, "Evolución de la crítica de *Fuenteovejuna,* de Lope de Vega, en el siglo XX", *Cuadernos Hispanoamericanos,* 320-321, 1977[2], pp. 450-465.

——, *El protagonista colectivo de "Fuenteovejuna" de Lope de Vega,* Salamanca, Ediciones Universidad, 1979.

Lara Garrido, José, "Sobre las carencias de formalización (Notas para una lectura de *Fuente Ovejuna*)", *Analecta Malacitana,* II, 1979, pp. 393-404.

López Estrada, Francisco, *"Fuente Ovejuna* en el teatro de Lope y de Monroy. (Consideración crítica de ambas obras)". Discurso de apertura del curso académico 1965-1966 en la Universidad de Sevilla, Sevilla, 1965; citado: L. Estrada, *Consideración crítica.*

——, "Los villanos y filósofos y políticos (La configuración de *Fuente Ovejuna* a través de nombres y 'apellidos')". *Cuadernos Hispanoamericanos,* LXXX, 1969, pp. 518-542; citado: "Los villanos filósofos y políticos...".

——, "Músicas y letras: más sobre los cantares de *Fuente Ovejuna*", *Cuadernos de teatro clásico,* 3, 1989, pp. 45-52.

——, "Fuente Ovejuna hoy", *En torno al Teatro del Siglo de Oro,* Almería, Instituto de Estudios Almerienses, Diputación, 1996, pp. 175-189.

MacCurdy, R. R., "Lope de Vega y la pretendida inhabilidad española para la tragedia: resumen crítico", *Homenaje a W. L. Fichter,* Madrid, Castalia, 1971, pp. 525-535.

Madrigal, José A., "El valor temático de la plaza y de Ciudad Real en *Fuente Ovejuna*", *Actas del Sexto Congreso Internacional de Hispanistas,* Toronto, Universidad, 1980, pp. 488-490.

Matas, Julio, "El honor en *Fuenteovejuna* y la tragedia del Comendador", *Lope de Vega y los orígenes del teatro español,* Madrid, Edi-6, S. A., 1981, pp. 385-390.

Mazzocchi, Giuseppe, "Sulla *Historia de los amores del valeroso moro Abindarraez* di Francesco Balbi de Correggio", *per Cesare Bozzetti. Studi di letteratura e filologia italiana,* Milán, Mondadori, Fondazione Arnoldo E. Alberto, 1996, pp. 547-572.

McCrary, William C., *"Fuente Ovejuna:* Its Platonic Vision and Execution", *Studies in Philology,* LVIII, 1961, pp. 179-192.

Menéndez Pelayo, Marcelino, *Estudios sobre el teatro de Lope de Vega,* en las *Obras Completas,* Madrid, CSIC, 1949, vol. V, pp. 171-183. Citado *Estudios.* Es el prólogo de la edición antes citada de 1899.

Morley, S. Griswold, "*Fuente Ovejuna* and its Theme Parallels", *Hispanic Review,* IV, 1936, pp. 303-311.

Morley, S. Griswold y Richard W. Tyler, *Los nombres de personajes en las comedias de Lope de Vega. Estudio de Onomasiología,* Berkeley y Los Angeles, University of Califonia Press, 1961, 2 vols. Citado: Morley y Tyler, *Onomasiología.*

Morley, S. Griswold y Courtney Bruerton, *Cronología de las comedias de Lope de Vega,* 2.ª edición, Madrid, 1968; citado Morley y Bruerton, *Cronología.*

Parker, Alexander, A., "Reflections on a New Interpretation of 'Baroque Drama'", *Bulleton of Spanish Studies,* XXX (1943), pág. 144-146.

Ribbans, Geoffrey, "The Meaning and Structure of Lope's *Fuenteovejuna*", *Bulletin of Hispanic Studies,* 1954, XXXI, pp. 150-170; recogido en versión española en el libro *El teatro de Lope de Vega. Artículos y Estudios.* Prólogo, selección y revisión técnica de José Francisco Gatti. Buenos Aires, Editorial Universitaria, 1967, 2.ª ed., "Significado y estructura de *Fuenteovejuna*", pp. 91-123.

Roaten, Darnell F. y Sánchez Escribano, Federico, *Wölfflin Principles in Spanish Drama: 1500-1700,* New York, Hispanic Institute in the United States, 1952 [1].

Roaten, Darnel F., "Wolfflin's Principles Applied to Lope's *Fuenteovejuna*", *Bulletin of the Comediantes,* IV, 1, 1952 [2], pp. 1-4.

Rozas, Juan Manuel, "*Fuente Ovejuna* desde la segunda acción" [1981], *Estudios sobre Lope de Vega,* Madrid, Cátedra, 1990, pp. 331-353.

Rubens, Félix, "*Fuente Ovejuna*", *De Lope de Vega.* Estudios en conmemoración del IV centenario de su nacimiento, La Plata (Argentina), 1964, pp. 135-148.

Ruggiero, Michael J., "Fernán Gómez de Guzmán, protagonist of *Fuenteovejuna*", *Bulletin of the Comediantes,* XLVII, 1995, pp. 5-19.

Sacks, Diane, *Breaking the Silence. An Archetypal and Feminist Analysis of "La hermosa Ester", "Fuente Ovejuna", and "La mal casada",* Utah, Universidad, 1989; la parte de Laurencia, en pp. 138-141.

Salomon, Noël, *Lo villano en el teatro del Siglo de Oro,* Madrid, Castalia, 1985. Es la traducción española del libro publicado en 1965 con el título: *Recherches sur le thème paysan dans la "comedia" au temps de Lope de Vega.*

Sánchez Boudi, José, "El derecho penal en el teatro de Lope de Vega", *Lope de Vega y los orígenes del teatro español,* Madrid, Edi-6, S. A., 1981, pp. 755-763.

Seliger, H. W., "*Fuenteovejuna* en Alemania: de la traducción a la falsificación", *Revista Canadiense de Estudios Hispánicos,* VIII, 1984, pp. 381-403.

Serrano, Carlos, "Métaphore et idéologie: sur le tyran de *Fuenteovejuna* de Lope de Vega (notes)", *Les Langues Neolatines,* LXV, 1971, pp. 31-53.

Soons, C. Alan, "Two Historical Comedias and the Question of Manierismo", *Romanische Forschungen,* LXXIII, 1961, pp. 339-346; Se refiere a la comedia de Tirso *Antona García* y a *Fuente Ovejuna.*

Spitzer, Leo, "A Central Theme and Its Structural Equivalent in Lope's *Fuenteovejuna*", *Hispanic Review,* XXIII, 1955, pp. 274-292; también traducido en *El teatro de Lope de Vega. Artículos y estudios,* Buenos Aires, Editorial Universidad, 1967, 2.ª ed., pp. 124-147. Citado Spitzer, *Un tema central...*

Stoll, André, "Avatares de un cuento del Renacimiento. El *Abencerraje,* releído a la luz de su contexto literario-cultural y discursivo", *Sharq Al-Andalus. Estudios árabes. Anales de la Universidad de Alicante,* 12-13 (1995-1996), pp. 1-49.

Wardropper, Bruce, W., "*Fuente Ovejuna:* 'el gusto' and 'lo justo'", *Studies in Philology,* LIII, 1956, pp. 159-171.

Weber de Kurlat, Frida, "La expresión de la erótica en el teatro de Lope de Vega. (El caso de *Fuente Ovejuna)*", *Homenaje a José Manuel Blecua,* Madrid, Gredos, 1983, pp. 673-687.

NOTA PREVIA

S O B R E la base de la *Dozena Parte,* imprimo un texto
que quiere ser fiel a lo que estimo que son las lecciones
de la obra más ajustadas con el sentido de la *Fuente
Ovejuna* escrita por Lope. El texto que edito recoge
estas lecciones por entre la variedad de ejemplares a
que antes me referí, y en algunos casos proceden de las
interpretaciones de otros editores, cuando me parecen
convincentes, indicando su procedencia. Conservo las
vocales según esta base fundamental. Modernizo la grafía de las consonantes, salvo en unos pocos casos:
cuando su conservación pone de manifiesto la medida
métrica, como en los casos de *agora/aora,* impresos
aquí *agora/ahora;* en los grupos cultos de consonantes
interiores, por convenir con el habla de la época o apreciarse en ellos algún indicio de rusticidad (*efeto, estremo,
esperiencia, satisfacion,* etc.) Mantengo las asimilaciones
entre el fin de verbo y el pronombre (*rezalle,* etc.), y
metátesis (*reñilda,* etc.). Separo como hoy las uniones
morfológicas (*desta* aparece *de esta,* etc.). Cualquier otro
cambio lo consigno en las notas. Sitúo [...] todo lo que
añado en las acotaciones y otros lugares. Las canciones,
las imprimo en cursiva. En cuanto a las notas, además
de querer interpretar la significación de las palabras y
modismos, he procurado que ilustren el curso de la
acción escénica (movimiento de los personajes, su situación sobre la escena, etc.) Añado entre corchetes la

numeración de las escenas por un criterio de orden práctico (como indiqué), bien entendido que no deben considerarse como divisiones en la continuidad del texto. En conjunto he querido realizar una presentación textual de orden pedagógico, con objeto de que la obra disponga también de un contexto filológico que la deje cerca de lo que podría ser un texto conveniente para una representación en la época de Lope. Una lectura, repito como conclusión, no es lo mismo que la asistencia a una representación, en la que la obra teatral se percibe en su propio valor literario y creativo. Y no se olvide que un buen conocedor del teatro de los Siglos de Oro, J. M. Rozas, ha escrito: "*Fuente Ovejuna* es, hoy, el drama de Lope más conocido universalmente."[1]

F. L. E.

[1] Juan Manuel Rozas, "La obra dramática de Lope de Vega", en la *Historia y Crítica de la Literatura Española,* III, Barcelona, Crítica, 1983, págs. 305.

FUENTE OVEJUNA

DOZENA

PARTE DE

LAS COMEDIAS DE

LOPE DE VEGA CARPIO.

A DON LORENZO DE CARDENAS
Conde de la Puebla, quarto nieto de don Alonso de
Cardenas, Gran Maestre de Santiago.

Año 1619.

CON PRIVILEGIO.

EN MADRID. Por la viuda de Alonso Martin.

A costa de Alonso Perez, mercader de libros.

Madrid, 1619. (Edición A.)

DOZENA

PARTE DE

LAS COMEDIAS DE

LOPE DE VEGA CARPIO.

A DON LORENZO DE CARDENAS
Conde de la Puebla, quarto nieto de don Alonso de
Cardenas, Gran Maestre de Santiago.

Año 1619.

CON PRIVILEGIO.

EN MADRID, Por la viuda de Alonso Martin.

A costa de Alonso Perez, mercader de libros.

Madrid, 1619. (Edición B.)

COMEDIA FAMOSA DE
"FUENTE OVEJUNA"

Hablan en ella las personas siguientes:[1]

FERNÁN GÓMEZ [*de Guzmán, Comendador Mayor de
la Orden de Calatrava*]
ORTUÑO [*criado de Fernán Gómez*]
FLORES [*criado de Fernán Gómez*]
EL MAESTRE DE CALATRAVA [*Rodrigo Téllez Girón*]
PASCUALA [*labradora*]
LAURENCIA [*labradora*]
MENGO [*labrador*]
BARRILDO [*labrador*]
FRONDOSO [*labrador*]
JUAN ROJO [*labrador, tío de Laurencia, regidor*]
ESTEBAN [*padre de Laurencia*], ALONSO, *Alcaldes*
REY DON FERNANDO
REINA DOÑA ISABEL
DON [RODRIGO] MANRIQUE [*maestre de Santiago*]
[*Dos Regidores de Ciudad Real*]
UN REGIDOR [1.º *de Fuente Ovejuna*]

---

[1] Obsérvese la onomástica de los personajes: los señores se
nombran con sus propios nombres, históricos; sus criados y soldados tienen nombres de comedia (Flores y Ortuño, Cimbranos); todos los nombres de los aldeanos son inventados dentro
de los usuales para esta condición, menos los de la pareja de
enamorados, propios de un contorno pastoril. Los asistentes a
la representación (o los lectores de la lista) perciben esta diversidad, y también el entrecruzamiento de la historia e invención
que queda patente desde un principio. *Persona* en su sentido
etimológico de 'máscara de actor, personaje teatral'.

65

[*Otro Regidor de Fuente Ovejuna, llamado Cuadrado*]
[*Otro Regidor, sin nombre, que podría ser uno de los
 anteriores*]
CIMBRANOS, soldado
JACINTA, labradora
UN MUCHACHO
Algunos labradores
UN JUEZ [*pesquisidor*]
LA MÚSICA
[*Leonelo, licenciado por Salamanca*]

ACTO PRIMERO

[ESCENA I]

[*Sala de la casa del* MAESTRE DE CALATRAVA.]

Salen el COMENDADOR, FLORES *y* ORTUÑO, *criados.*

COMENDADOR

¿Sabe el Maestre que estoy
en la villa?

FLORES

Ya lo sabe.

ORTUÑO

Está, con la edad, más grave.

---

2 *la villa:* algunos editores identifican esta villa con Almagro
(vv. 106 y 1124). McGrady, siguiendo a Casalduero, considera que es Calatrava. Dixon lo considera lugar indeter-
minado.
3 La edad del Maestre es resorte sustancial de la comedia.
Las noticias que Lope tuviera sobre esto pueden proceder
de la *Chrónica* de Rades: "Murió año de 1482, siendo de
edad de veinte y cuatro años, y habiendo tenido el Maes-
trazgo diez y seis" (fol. 81). Según estos datos, don Rodrigo
tendría dieciocho años, y Lope inicia así su caracterización

COMENDADOR

¿Y sabe también que soy
5   Fernán Gómez de Guzmán?

FLORES

Es muchacho, no te asombre.

COMENDADOR

Cuando no sepa mi nombre,
¿no le sobra el que me dan
de Comendador mayor?

---

como un joven irreflexivo y sin experiencia, que emprende
la errónea acción de Ciudad Real por consejo de Fernán
Gómez.
3 *grave:* Pudiera entenderse que, pasando de la adolescencia a
la juventud, el Maestre pudiera adquirir *gravedad* ('autoridad, ponderación, mesura'; comp. con el v. 916). Como
señaló Dixon, aquí conviene más otra significación que relaciona esta palabra con *agraviar, gravar,* que trae Cov. (*s. v.*
grave): 'está más gravoso e importuno'.
5 El nombre del Comendador resulta ser un hermoso octosílabo trocaico, cuya resonancia abre la obra y pone de relieve
en el mismo comienzo al personaje de rasgos más acusados
de la comedia; aparece así con esta afirmación (asegurada
sobre el *soy* a través de una interrogación retórica) de una
personalidad que se ha de sobreponer a las demás por su
rigor cruel y antisocial en un enfrentamiento que sólo puede
acabar para él en tragedia. Tanto este nombre, como el del
Maestre Rodrigo Téllez de Girón (vv. 69-70) sólo aparecen
en esta comedia en el teatro de Lope de Vega (Morley y
Tyler, *Onomasiología*).
7 Con sentido concesivo, como en el uso actual reforzado por
"aun": *aun cuando...*
8 A$_2$: *sabrá.* En el texto, como en A y B.
9 El Comendador mayor era la más alta dignidad después del
Maestre, y le ayudaba en sus funciones, sobre todo en la
organización militar.

ORTUÑO

10 No falta quien le aconseje
que de ser cortés se aleje.

COMENDADOR

Conquistará poco amor.
Es llave la cortesía
para abrir la voluntad;
15 y para la enemistad,
la necia descortesía.

ORTUÑO

Si supiese un descortés
cómo lo aborrecen todos,
y querrían de mil modos
20 poner la boca a sus pies,
antes que serlo ninguno,
se dejaría morir.

FLORES

¡Qué cansado es de sufrir!
¡Qué áspero y qué importuno!
25 Llaman la descortesía

---

12 Se inicia la polisemia de *amor:* aquí se refiere al social.
13-14 Expresión sentenciosa comparable a ésta: "Cortesía y
bien hablar, cien puertas nos abrirán".
18 *lo* en la serie A; *le* en la serie B. Esta alternancia indica
la flexibilidad del lenguaje de la imprenta, y en un caso
se usó una forma y en el otro, la otra. El uso del propio
Lope me parece lejano para el caso, y la variación queda
al arbitrio de los actores.
20 *poner la boca a sus pies:* Dice Cov.: "Usamos de este
vocablo [boca] en muchas maneras, unas en propiedad,
otras metafóricamente" (*s.v. boca*). Los que oyen al descortés querrían poner lo que dice a sus pies para aplas-
tarlo. Blecua propone 'querrían enmudecer, pisarse la
lengua'.

necedad en los iguales,
porque es entre desiguales
linaje de tiranía.
    Aquí no te toca nada:
30 que un muchacho aún no ha llegado
a saber qué es ser amado.

COMENDADOR

La obligación de la espada
    que [se] ciñó el mismo día
que la Cruz de Calatrava
35 le cubrió el pecho, bastaba
para aprender cortesía.

FLORES

Si te han puesto mal con él,
presto le conocerás.

ORTUÑO

Vuélvete, si en duda estás.

---

31 *Ser amado:* Recibir la consideración de los otros y él corres-
ponder a cada uno como se merece; así es la honra.
33 *le* en A y B. Si se admite esta lección, '[alguien] le ciñó la
espada en la ceremonia, y, una vez ceñida en la cintura,
esto había de bastarle para aprender cortesía'. Siguen esta
lección Blecua, Dixon y McGrady; otros editores, desde
Hartzenbusch, prefieren cambiar el *le* por un *se,* y así el
acto del ceñimiento queda adscrito de manera impersonal
y lo que importa es el efecto.
36 En el mismo comienzo de la obra ya se manifiesta la personalidad contradictoria del Comendador: él conoce los
efectos de la virtud de la cortesía para con los demás, pero
no se la aplica a sí mismo en su conducta.
39 *vuélvete:* 'Date la vuelta', porque el Comendador, que
hablaba de cara al público, no se apercibe de que el Maestre entra en la escena. Como indica Dixon, el verbo pertenece al movimiento escénico del autor.

COMENDADOR

40   Quiero ver lo que hay en él.

[ESCENA II]

Sale el MAESTRE DE CALATRAVA *y acompañamiento.*

MAESTRE

Perdonad, por vida mía,
Fernán Gómez de Guzmán,
que agora nueva me dan
que en la villa estáis.

COMENDADOR

                    Tenía
45   muy justa queja de vos;
que el amor y la crianza
me daban más confianza,
por ser, cual somos los dos:
        vos, Maestre de Calatrava;
50   yo, vuestro Comendador
y muy vuestro servidor.

41-42   A veces (como aquí) las acotaciones de entrada, salida y
        situación de los personajes se establecen sin concordar
        el verbo con los personajes citados. Los dejo siempre tal
        como están, salvo si añado alguna indicación, que
        entonces va entre corchetes.
   42   Obsérvese cómo, al comienzo de la obra, los personajes
        se identifican, y más éstos que son históricos; poco des-
        pués el Comendador hace lo mismo con el Maestre
        (vv. 69-70). Sobre el Maestre, véase Cristina Torres
        Suárez, "Don Rodrigo Téllez de Girón, Maestre de
        Calatrava", *Miscelánea Medieval Murciana,* III, 1979,
        pp. 41-71. Hay que contar en Lope a un tiempo con la
        Chrónica de Rades y también con el prestigio en su
        época de la casa noble de los Girones.

MAESTRE

Seguro, Fernando, estaba
    de vuestra buena venida.
Quiero volveros a dar
55 los brazos.

COMENDADOR

            Debéisme honrar,
que he puesto por vos la vida
    entre diferencias tantas,
hasta suplir vuestra edad
el Pontífice.

MAESTRE

            Es verdad.
60 Y por las señales santas
    que a los dos cruzan el pecho,
que os lo pago en estimaros
y, como a mi padre, honraros.

COMENDADOR

De vos estoy satisfecho.

MAESTRE

65   ¿Qué hay de guerra por allá?

COMENDADOR

Estad atento, y sabréis
la obligación que tenéis.

---

52 *Seguro:* 'descuidado, ajeno de pensar en ello', de *securus*
   (<*se,* prefijo privativo y *curus* 'cuidado').
57 *diferencias:* 'banderías, partidos'.
60 La conducta del Comendador será más reprehensible por
   la condición religiosa de la Orden; tenía el título de Don
   Frey Fernán Gómez de Guzmán (*Chrónica,* fol. 81).
61 *cruzan el pecho:* se refiere a la cruz de la insignia de la
   Orden de Calatrava, que los dos actores llevarían ostento-
   samente en su vestido.

MAESTRE

Decid, que ya lo estoy, ya.

COMENDADOR

Gran Maestre don Rodrigo
70   Téllez Girón, que a tan alto
      lugar os trajo el valor
      de aquel vuestro padre claro,
      que, de ocho años, en vos
      renunció su Maestrazgo,
75   que después por más seguro
      juraron y confirmaron
      Reyes y Comendadores,
      dando el Pontífice santo
      Pío segundo sus bulas,
80   y después las suyas Paulo,
      para que don Juan Pacheco,

68-83 El relato toma como base la *Chrónica* de Rades: "Era el
       Maestre al tiempo de su elección niño de ocho años, y
       por esto la Orden suplicó al papa Pío II supliese de
       nuevo la falta de edad, y confirmase la elección o postu-
       lación que habían hecho. El Papa viendo que hombre de
       tan poca edad no podía tener el Maestrazgo en título,
       dióselo en encomienda; y después Paulo II le dio por
       coadjutor a don Juan Pacheco, su tío, Marqués de
       Villena" (fol. 78v).
   72 Don Pedro Girón (1423?-1466), Gran Maestre de Cala-
       trava, fue uno de los más inquietos cortesanos de los últi-
       mos tiempos de Juan II y del reinado de Enrique IV.
       Logró de este Rey que le prometiese la mano de Isabel,
       pero el Maestre murió en Villarrubia cuando iba a las
       bodas. Don Rodrigo era hijo ilegítimo.
   79 Don Pedro Girón obtuvo del papa Pío II que recono-
       ciese a don Rodrigo como Maestre de la Orden (15 de
       febrero de 1464) por medio de su renuncia.
   80 Pablo II (1464-1471), que había sucedido a Pío II (1458-
       1464).
   81 Don Juan Pacheco (1419-1474), Marqués de Villena,
       hermano de don Pedro Girón, llegó a ser Maestre de

gran Maestre de Santiago,
fuese vuestro coadjutor;
ya que es muerto, y que os han dado
85   el gobierno sólo a vos,
aunque de tan pocos años,
advertid que es honra vuestra
seguir en aqueste caso
la parte de vuestros deudos;
90   porque, muerto Enrique cuarto,
quieren que al rey don Alonso
de Portugal, que ha heredado,
por su mujer, a Castilla,
obedezcan sus vasallos;
95   que aunque [pretende] lo mismo
por Isabel, don Fernando,
gran Príncipe de Aragón,
no con derecho tan claro

Santiago y de Calatrava, y tuvo una intervención muy
activa en la política de banderías de la época.
84 Murió en 1474, y por tanto don Rodrigo tenía los dieciséis
años. Obsérvese el ajuste aproximado de la cronología.
90-103 Otra vez sigue de cerca a Rades, quien cuenta en su
Chrónica que a la muerte de Enrique IV en 1474 "se con-
tinuaron y aumentaron los bandos y parcialidades entre
los grandes del Reino porque la mayoría de ellos obede-
cieron por su Reina y señora doña Isabel, hermana del
Rey don Enrique, y por ella a don Fernando su marido
Rey de Sicilia y Príncipe de Aragón [se habían casado en
1469]; y otros decían pertenecer el Reino a doña Juana,
que afirmaba ser hija del Rey don Enrique [...].
Habíase desposado esta señora con don Alonso su tío,
Rey de Portugal [Alfonso V, el Africano, 1432-1481] y
con este título seguían su partido para hacerle Rey de
Castilla todos los Girones, Pachecos y otros grandes
del Reino" (fol. 79).
95 A y B: *pretenden.* La concordancia gramatical pide el
verbo en singular. Blecua y Dixon indican que Lope
pudo establecer una relación con la pareja Isabel-Fer-
nando, y poner el verbo en plural.

a vuestros deudos; que, en fin,
100   no presumen que hay engaño
en la sucesión de Juana,
a quien vuestro primo hermano
tiene agora en su poder.
Y así, vengo a aconsejaros
105   que juntéis los caballeros
de Calatrava en Almagro,
y a Ciudad Real toméis,
que divide como paso
a Andalucía y Castilla,
110   para mirarlos a entrambos.
Poca gente es menester,
porque tiene por soldados
solamente sus vecinos
y algunos pocos hidalgos,
115   que defienden a Isabel
y llaman rey a Fernando.

100 Alusión a que doña Juana fuese hija de don Beltrán de la
Cueva y la reina doña Juana de Portugal.
102 Don Diego López Pacheco, Marqués de Villena, en cuyo
poder se hallaba en 1475, según las *Memorias* de A. Bernáldez.
107 *Ciudad Real:* La antigua Villa Real pasó a ser Ciudad
Real en 1420 por merced de Juan II, y gozaba de fuero
real desde 1428. Las rivalidades de la primero Villa y después Ciudad Real con los de Calatrava habían sido fre-
cuentes, de manera que este episodio de 1477 fue uno más
de entre los que ocasionó la sentencia en favor de los
Reyes castellanos frente al poderío de la Orden. En 1494,
los Reyes Católicos crearon una nueva Cancillería en
Ciudad Real, y dispusieron que allí se resolviesen los
pleitos "desde el río Tajo a mediodía... y órdenes de Santiago y Alcántara y Calatrava y San Juan..." (A. de Santa
Cruz, *Crónica de los Reyes Católicos,* I, Sevilla, 1951,
p. 128).
110 El masculino *entrambos* referido a Andalucía y Castilla
se entiende por alusión a *reinos;* la rima del romance lo
pide así.

Será bien que deis asombro,
Rodrigo, aunque niño, a cuantos
dicen que es grande esa Cruz
120   para vuestros hombros flacos.
Mirad los Condes de Urueña,
de quien venís, que mostrando
os están desde la fama
los laureles que ganaron;
125   los Marqueses de Villena,
y otros capitanes, tantos,
que las alas de la fama
apenas pueden llevarlos.
Sacad esa blanca espada;
130   que habéis de hacer, peleando,
tan roja como la Cruz;
porque no podré llamaros
Maestre de la Cruz roja
que tenéis al pecho, en tanto
135   que tenéis blanca la espada;
que una al pecho y otra al lado,

117-128 Estos versos siguen de cerca la *Chrónica* de Rades: "El
          Maestre, como mancebo que era de 16 años, siguió
          este partido de doña Juana y del Rey de Portugal, su
          esposo, por inducimiento del Marqués de Villena,
          su primo, y del Conde de Ureña, su hermano, y con
          esta voz hizo guerra en las tierras del Rey en La Man-
          cha y Andalucía" (fol. 79). Como ya se dijo en el pró-
          logo, Fernán Gómez aparece como inductor en la
          creación poética de Lope.
     118 *niño:* hoy no se diría de un mozo de dieciséis o die-
          ciocho años, pero hay testimonios medievales.
     121 Condes de Urueña; se refiere a Alonso Téllez Girón
          (Véase A. Bernáldez, *Memorias*, p. 28).
     125 *Marqueses de Villena:* Diego de Pacheco; antes
          (v. 102) se refirió a Diego López Pacheco, y a su
          padre, Diego Pacheco.
     129 *blanca:* 'inocente, aún no teñida en sangre'.
     135 Corrección mía; A y B: "que tenéis la blanca espada".
          Otros editores prefieren el orden de la impresión.

entrambas han de ser rojas;
y vos, Girón soberano,
capa del templo inmortal
140 de vuestros claros pasados.

MAESTRE

Fernán Gómez, estad cierto
que en esta parcialidad,
porque veo que es verdad,
con mis deudos me concierto.
145   Y si importa, como paso
a Ciudad Real, mi intento,
veréis que, como violento
rayo, sus muros abraso.
No porque es muerto mi tío,
150 piensen de mis pocos años
los propios y los estraños
que murió con él mi brío.
Sacaré la blanca espada,
para que quede su luz
155 de la color de la Cruz,
de roja sangre bañada.
Vos, adonde residís,
¿tenéis algunos soldados?

139 Juego de palabras: el *girón* 'trozo suelto y desgarrado de
un tejido' será *capa* 'pieza entera, vestido que cubre y resguarda'. En la portada de la *Arcadia* (1598) dedicada al
Girón, entonces Duque de Osuna, situó una leyenda:
"Este Girón para el suelo, sacó de su capa el cielo".

142 *parcialidad:* 'campo o bando de sus parciales, que siguen su
parte', frente al sentido de unidad que representan los
reyes Isabel y Fernando.

145 *como paso/a Ciudad Real:* expresión confusa. Cabría
entender el *como* en sentido temporal 'cuando, ahora que
paso a Ciudad Real'. Avisa Keniston (28.56) que la distin-
ción entre el sentido temporal y el causal es difícil de establecer. Me parece aceptable la propuesta de Dixon que,
situando así la puntuación, da sentido a lo que dice el
Maestre, que, en efecto, sitia a Ciudad Real.

COMENDADOR

Pocos, pero mis criados;
160   que si de ellos os servís,
            pelearán como leones.
        Ya veis que en Fuente Ovejuna
        hay gente humilde y alguna,
        no enseñada en escuadrones,
165   sino en campos y labranzas.

MAESTRE

¿Allí residís?

COMENDADOR

Allí
de mi Encomienda escogí
casa entre aquestas mudanzas.

[MAESTRE]

Vuestra gente se registre.

[COMENDADOR]

170   Que no quedará vasallo.

163 *alguna:* trae confusión a la frase; el que se refiera a
parte de la gente humilde no hace buen sentido con el
espíritu de la obra, pues todo Fuente Ovejuna es
gente de paz. Más bien cabe pensar en que quiere
decir: 'una poca gente', por tratarse de una villa; o en
un valor negativo de *alguna,* forzada su posición por
la rima, y con el refuerzo del *no* siguiente.
167 Fernán Gómez estaba en Fuente Obejuna desde 1466.
169-170 Faltan las indicaciones de los interlocutores en A y en
B, que me parecen convenientes para el sentido.
Otros editores ponen los dos versos como dichos por
el Comendador. Prefiero la separación que propongo.
169 *Registrarse:* inscribirse en un registro para saber con
cuántos se puede contar.

MAESTRE

Hoy me veréis a caballo
poner la lanza en el ristre.

[ESCENA III]

[*Lugar de Fuente Ovejuna, acaso la plaza.*]

Vanse y salen PASCUAL[A] *y* LAURENCIA.

LAURENCIA

¡Mas que nunca acá volviera!

173 La onomástica de los personajes señala el camino de la
     obra: Laurencia (que no Lorenza) es el nombre de
     la aldeana protagonista de *Fuente Ovejuna*. Laurencia es
     nombre que Lope aplica en su teatro a las damas (ocho
     veces) y aun nobles (dos veces) y otra a una labradora
     noble; y a pastoras sólo tres veces, y una a una criada y otra
     a una villana (Morley y Tyler, *Onomasiología*). Se rela-
     ciona con *laurel* y sus resonancias mitológicas, que trae
     Cov. como algo común: todos saben que la ninfa Dafne,
     perseguida por Apolo, se convierte en laurel. Si el
     comienzo de la comedia estuvo a cargo de personajes
     nobles, de condición histórica, en las salas de un palacio,
     aquí, en un brusco cambio muy propio del arte dramá-
     tico de Lope, la acción se traslada a la villa de Fuente
     Obejuna, y corre a cargo de los *villanos* (por ser los natu-
     rales y habitantes de la villa), cuyo perfil social anunció
     el mismo Comendador (vv. 163-165). Y para que quede
     bien claro, la misma grafía de las impresiones de
     la obra pone de manifiesto algunos rasgos de la lengua
     vulgar que usan y que los actores se cuidarían de acen-
     tuar en los rasgos de su pronunciación, cuando fuese
     conveniente; y lo mismo ocurre con el uso de los refra-
     nes, etc., sin que esto les hiciese perder la dignidad que
     se requeriría en el curso de la comedia. Sobre la función
     de la plaza como centro de la acción de la obra, véase
     J. A. Madrigal (1980).

PASCUALA

Pues, a la he, que pensé
175   que cuando te lo conté,
       más pesadumbre te diera.

LAURENCIA

¡Plega al cielo que jamás
le vea en Fuente Ovejuna!

PASCUALA

Yo, Laurencia, he visto alguna
180   tan brava, y pienso que más;
       y tenía el corazón
       brando como una manteca.

LAURENCIA

Pues ¿hay encina tan seca
como esta mi condición?

PASCUALA

185   ¡Anda ya! Que nadie diga:
          de esta agua no beberé.

173 *¡Mas que...:* Este inicio, de índole desiderativa por
    referirse por alusión al Comendador, objeto del diá-
    logo, ha tenido varias interpretaciones. Bibliografía
    en Profeti, que acentúa *Mas ¡qué...,* como propuso
    Blecua.
174 *he:* fe. Exclamación ¡a la fe! La aspiración de *f-* es un
    rasgo muy extendido de la lengua pastoril del teatro;
    cuenta como consonante a efectos del cómputo
    métrico.
180 *tan brava* [como tú].
181 *brando:* blando. El trueque l/r es otro rasgo fonético
    del lenguaje villanesco en el teatro de pastores.
185-186 Cov. explica así la locución: "Nadie diga: *De esta
    agua no beberé* cuando viéremos al prójimo en algún

LAURENCIA

¡Voto al sol que lo diré,
aunque el mundo me desdiga!
      ¿A qué efeto fuera bueno
190   querer a Fernando yo?
      ¿Casárame con él?

PASCUALA

No.

---

trabajo; consideremos que nos podríamos ver en otro tal"
(*s.v. bever*). Las dos aldeanas comienzan a hablar refiriéndose a *alguien* en modo impreciso aún, y poco después
Laurencia (194) precisa que es el Comendador. Laurencia
y Pascuala representan en el principio de la comedia dos
maneras de enfrentarse con los deseos del Comendador.
Laurencia defiende sin límites su virtud (que en 435 identifica con su *honor*), y así prefigura a la protagonista de
carácter heroico. Pascuala es una aldeana más, que teme
el poder del señor cuando se manifiesta en sus acometidas
a las mujeres.

187 *Voto al sol:* Juramento en que la fórmula inicial *voto a...*
acaba en una palabra neutra, *sol* en este caso. El propio
Lope indicó en *El valiente Céspedes* que era juramento propio de villanos, pues Céspedes dice a Beltrán:

> Lo que te quiero decir
> es que *"¡voto al sol!"* es llano
> que es juramento villano,
> y se puede presumir
> que te saqué del azada.
> (*Obras* de Lope, ed. RAE, XII, p. 198).

Lo usó Sancho cuando contesta airado al doctor Pedro
Recio (*Quijote,* II. cap. XLVII). Véase 1169 y 1214, en
donde Mengo usa la exclamación.

191 La relación sexual fuera del matrimonio para Laurencia es
infamia, y por tanto deshonra, y ésta es la única que ofrece
el Comendador con las mujeres que no son de su clase
social. Obsérvese que Laurencia accede a oír a Frondoso
cuando habla de la Iglesia que bendeciría el amor (771).

LAURENCIA

Luego la infamia condeno.
  ¡Cuántas mozas en la villa,
del Comendador fiadas,
195   andan ya descalabradas!

PASCUALA

Tendré yo por maravilla
  que te escapes de su mano.

LAURENCIA

Pues en vano es lo que ves,
porque ha que me sigue un mes,
200   y todo, Pascual[a], en vano.
  Aquel Flores, su alcahuete,
y Ortuño, aquel socarrón,
me mostraron un jubón,
una sarta y un copete.

---

195 *descalabradas:* es eufemismo fácilmente comprensible. Para esto Laurencia se vale de un término propio del campo, pues Cov. (*s.v. descalabrar*) dice que el descalabro es herida en la cabeza por piedra, garrote o cayado, armas campesinas.

197 Son numerosos los modismos establecidos sobre la palabra *mano.* Cov. trae uno semejante: "Irse de entre las manos, escabullirse" (*s.v. mano*). McGrady encuentra alusiones eróticas en la expresión.

199 *ha* [*un mes*] *que me sigue:* es la construcción común en los Siglos de Oro del *haber* impersonal en el sentido de una acción que comenzó en el pasado y sigue en el presente.

203-204 *Jubón:* "vestido justo y ceñido, que se pone sobre la camisa y se ataca con las calzas" (Cov.) *Sarta:* "collar o gargantilla de piezas ensartadas y enhiladas unas con otras" (Cov.). *Copete:* "el cabello que las damas traen levantado sobre la frente... Unas veces es del propio cabello, y otras, postizo" (Cov.). Aquí acaso sea un sombrerito.

205   Dijéronme tantas cosas
        de Fernando, su señor,
        que me pusieron temor;
        mas no serán poderosas
            para contrastar mi pecho.

PASCUALA

210   ¿Dónde te hablaron?

LAURENCIA

                    Allá
        en el arroyo, y habrá
        seis días.

PASCUALA

            Y yo sospecho
        que te han de engañar, Laurencia.

LAURENCIA

    ¿A mí?

PASCUALA

        Que no, sino al cura.

LAURENCIA

215   Soy, aunque polla, muy dura

---

209 *contrastar:* "contradecir, refutar" (Cov.).
214 Fórmula conversacional; tiene el sentido intensificado de:
    '¿A quién, si no es a ti?' La referencia al *cura* (v. 439)
    sirve para dar un tono aldeano al ambiente de la comedia; y es
    un término ponderativo en el sentido de que el cura en la
    aldea es el que más sabe y es más difícil engañar.
215 *polla:* 'la gallina nueva'; se aplica (aún hoy) a las perso-
    nas jóvenes y de buen ver. Para ésta y las otras metáforas
    animales que usa Lope en esta comedia, véase el catá-
    logo de Isabel de Torres Ramírez: "Metáforas animales

yo para su reverencia.
   Pardiez, más precio poner,
Pascuala, de madrugada,
un pedazo de lunada

220   al huego para comer,
con tanto zalacatón
de una rosca que yo amaso,

---

en *Fuenteovejuna*", *Homenaje al profesor Antonio
Gallego Morell,* Granada, Universidad, 1989, III, pp.
321-339. Esta abundancia se justifica por la condición
rural de la comedia.

216 *Reverencia:* "Este título se debe a los sacerdotes y a
los religiosos" (Cov.). Al equivocar adrede el tratamiento, puede aludir irónicamente al carácter religioso de la Orden, aplicado a un lujurioso como el
Comendador.

217 *pardiez:* la exclamación rústica intensifica el eufemismo de la otra fórmula *Par Dios* (v. 961), acorde
con el léxico que usa Laurencia para su exposición,
basada en un tópico humanístico expuesto a lo rústico, en un contraste de efecto teatral muy de Lope.

217-248 Pieza retórica habilitada sobre el tópico: '*Más precio*
la limpia vida del campo en soledad y abundante
pasar, que el mal amor del señor'; establece la descripción de la vida de un día (madrugada, 218; mediodía, 225; tarde, 233; y noche). El polisíndeton de *y*
mantiene la tensión de la parte primera o protética
hasta 241, a la que sigue la apódosis, introducida por
que, que acaba con la mención contraria en el tiempo:
anochecer (247) y *amanecer* (248).

219 *lunada:* "es la media anca, y comunmente la aplicamos
al pernil del tocino, diciendo lunada de tocino" (Cov.).

220 *huego:* 'fuego'. Véase v. 174.

221 *zalacatón:* acaso derivado de *zatico,* pedazo de pan,
cruzado con algún sinónimo. Lope lo empleó otra vez
(en la forma *zalacatrón*), asociado también con *lunada:*
"seis torreznos de lunada —y un zalacatrón de pan— de
libra y media" (*El capellán de la Virgen,* Acto III,
Obras, IV, ed. Acad. p. 495). Véase Corominas, *Dic.
Crít. Etim.,* (*s.v. zatico*).

y hurtar a mi madre un vaso
del pegado cangilón;
225   y más precio al mediodía
ver la vaca entre las coles,
haciendo mil caracoles
con espumosa armonía;
y concertar, si el camino
230   me ha llegado a causar pena,
casar una berenjena
con otro tanto tocino;
y después un pasatarde,
mientras la cena se aliña,
235   de una cuerda de mi viña,
que Dios de pedrisco guarde;
y cenar un salpicón
con su aceite y su pimienta,
y irme a la cama contenta,
240   y al "inducas tentación"
rezalle mis devociones;
que cuantas raposerías,
con su amor y sus porfías,
tienen estos bellacones,
245   porque todo su cuidado,

224 *pegado:* porque está untado con *pega:* "El baño que se
da con la pez a los vasos" (Cov.).
cangilón: "cierto género de vaso, y juntamente
medida" (Cov.), probablemente ancha de boca, usada
para trasegar el vino u otro líquido.
226-228 Cocido de carne de vaca y coles que hierve en el fuego
a borbollones, haciendo espuma.
233-235 *pasatarde:* es merienda que aquí consiste en racimos
de uva, conservados colgando de una cuerda.
237 *salpicón:* es un plato de carne o pescado desmenuza-
dos y aderezados con aceite, sal y especies.
240 *inducas tentación:* versión rústica del ruego penúltimo
del Padrenuestro en forma aproximada al latín, "no
nos dejes caer en tentación".
242 *raposerías:* las "bachillerías y astucias" del "hombre
astuto se llaman raposerías" (Cov.).

después de darnos disgusto,
es anochecer con gusto
y amanecer con enfado.

PASCUALA

 Tienes, Laurencia, razón;
250 que en dejando de querer,
más ingratos suelen ser
que al villano el gorrión.
 En el invierno, que el frío
tiene los campos helados,
255 descienden de los tejados,
diciéndole "tío, tío",
 hasta llegar a comer
las migajas de la mesa;
mas luego que el frío cesa,
260 y el campo ven florecer,
 no bajan diciendo "tío",
del beneficio olvidados,
mas saltando en los tejados
dicen: "judío, judío".
265 Pues tales los hombres son:
cuando nos han menester,
somos su vida, su ser,
su alma, su corazón;
 pero pasadas las ascuas,

---

252 De la fama del gorrión, dice Covarrubias: "Esta avecilla es
muy astuta y recatada, y con andar siempre entre gente,
nunca se domestica".
256 La voz onomatopéyica es *pío, pío,* que recoge Cov. para el
pollo (*s.v. piar*). Pascuala lo cambia en *tío, tío,* porque éste
es el nombre con el que los aldeanos se dirigen a las personas de edad y que son amigas.
260 B: *ver;* sigo el texto A.
264 Lope buscó con intención el término, pues el villano (hombre de la villa y del campo) se precia de ser cristiano viejo
(como cerdo, 232), y entiende lo de *judío* como insulto.
269 Cuando el fuego del amor dejó de ser vivo.

270   las tías somos judías,
       y en vez de llamarnos tías,
       anda el nombre de las Pascuas.

LAURENCIA

¡No fiarse de ninguno!

PASCUALA

Lo mismo digo, Laurencia.

272 *decir a uno el nombre de las Pascuas:* 'insultarlo, mote-
     jarlo de mala manera'. Queda claro en este pasaje de
     El celoso extremeño, de Cervantes: "Entreoyeron las
     mozas los requiebros de la vieja, y cada una le dijo el
     nombre de las Pascuas: ninguna la llamó vieja que no
     fuese con su epíteto y adjetivo de hechicera y de bar-
     buda, de antojadiza, y de otros que por buen respeto
     se callan..." (*Novelas ejemplares,* ed. Castalia II, p. 211;
     según Correas: vellacas, putas, alcahuetas (Cov., 691).
273 Frase hecha, procedente de refranes como éste, que
     registra Cor.: "No fíes de los hombres, niña, ¡mal haya
     quien de ellos fía!" (p. 255), aplicable a este diálogo
     entre las dos.
273-274 Laurencia y Pascuala quedan a un lado del escenario, y
     los tres aldeanos, Mengo, Barrildo y Frondoso, pasan a
     ocupar el centro del mismo, hasta que este último se
     dirige a ellas (v. 290) y las dos se reúnen con el grupo
     de los otros tres. Los tres aldeanos pertenecen al
     mismo rango social (son *labradores,* de acuerdo con
     una mención del reparto de la obra), pero sus nombres
     tienen una resonancia diferente: Mengo y Barrildo se
     ladean hacia la rusticidad y, en efecto, Mengo será
     el personaje que intensifique los rasgos cómicos para
     así destacar por entre los otros: véase una caracteriza-
     ción de estos rasgos cómicos en Maxime Chevalier,
     "El aldeano cómico en la comedia lopesca", *Actes du
     3.ᵉ colloque du Groupe d'Études Sur le Théatre Espag-
     nol,* Paris, CNRS, 1980, pp. 197-211. Frondoso, sin
     embargo, tiene un nombre más propio de los libros
     pastoriles, como lo prueba que éste sea el nombre de
     uno de los pastores de *La Arcadia* de Lope.

[ESCENA IV]

Salen MENGO *y* BARRILDO *y* FRONDOSO.

FRONDOSO

275   En aquesta diferencia
        andas, Barrildo, importuno.

BARRILDO

        A lo menos aquí está
        quien nos dirá lo más cierto.

MENGO

        Pues hagamos un concierto
280   antes que lleguéis allá;
            y es, que si juzgan por mí,
        me dé cada cual la prenda,
        precio de aquesta contienda.

BARRILDO

        Desde aquí digo que sí.
285   Mas si pierdes, ¿qué darás?

MENGO

        Daré mi rabel de boj,
        que vale más que una troj,
        porque yo le estimo en más.

285 B: *dirás?* En el texto como en A.
286 *rabel de boj:* "Instrumento músico de cuerdas y arquillo;
    es pequeño y todo de una pieza, de tres cuerdas y de voces
    muy subidas. Usan de él los pastores con que se entretie-
    nen" (Cov.).
287 *troj* o *troje:* "Es lo mismo que el granero, donde se recoge
    el trigo o cebada, etc. y particularmente, el trigo" (Cov.)

BARRILDO

Soy contento.

FRONDOSO

Pues lleguemos.
290   Dios os guarde, hermosas damas.

LAURENCIA

¿Damas, Frondoso, nos llamas?

FRONDOSO

Andar al uso queremos:
al bachiller, licenciado;

290 La fórmula común del saludo de recepción es *Dios os
guarde,* y esto se contrasta con el vocativo cortesano *hermosas damas.* Este contraste es ocasión para que Frondoso
establezca la pieza retórica siguiente (vv. 291-320). Inmediatamente Laurencia contesta con otra para justificar que
el trato no les corresponde a las villanas (vv. 321-348). No
obstante, el vocativo avisa de que en la reunión se ha de
entablar una conversación de altos vuelos y que los aldeanos saben ellos conversar a su modo como los cortesanos.
293 Frondoso dice aquí una pieza retórica sobre el tópico de la
inversión de valores, en el que existe la intención moraliza-
dora de notar el desconcierto, en este caso de la corte en
donde el *uso* (lo que es común) es el desorden. Frondoso lo
desarrolla de *menos* a *más,* y Laurencia (321-348), de *más* a
menos. El tópico existe desde la Edad Media, y se aviva en
el Renacimiento con Erasmo y sus seguidores. Se encuentra en el *Menosprecio de Corte...* de Guevara (ed. C.C.,
Madrid, 1952, pp. 100 y 197), en forma semejante a ésta.
(Véanse Francisco Márquez Villanueva, *Espiritualidad y
Literatura en el siglo XVI,* Madrid, 1968, pp. 83-87). La inversión de valores, explícitamente expuesta aquí, actúa sobre
el conjunto de la obra; véase John E. Varey, "La inversión
de valores en *Fuenteovejuna*", Lección 5.ª de la Universidad Internacional de Santander, 1976. Más bibliografía
sobre este tópico en McGrady.

al ciego, tuerto; al bisojo,
295   bizco; resentido, al cojo,
y buen hombre, al descuidado.
    Al ignorante, sesudo;
al mal galán, soldadesca;
a la boca grande, fresca,
300   y al ojo pequeño, agudo.
    Al pleitista, diligente;
al gracioso, entremetido;

294-295 *bisojo y bizco* se han identificado en los diccionarios
desde el de *Autoridades,* pero aquí representan dos
grados diversos de desviación ocular. Cov. registra en
bisojo "el que divide la vista, formando en cada ojo su
especie de un solo objeto". McGrady propone que
bisojo sea el que tiene un ojo desviado hacia afuera y
bizco, sea el que los tiene hacia dentro.
295 *resentido:* no en sentido moral, sino físico, que se
resiente de la pierna, como si fuera de algo pasajero.
298 *soldadesca:* "Soldado: El gentilhombre que sirve en la
milicia...; pelea ordinariamente a pie; su ejercicio se
dice *soldadesca*" (Cov.); es decir, acción propia de soldados.
299 *fresca:* "Mujer fresca, la que tiene carnes y es blanca y
colorada, y no de facciones delicadas ni adamada"
(Cov.), aplicado a la boca.
300 *agudo:* "Aguda vista, la que alcanza a ver muy de
lejos, como la del águila" (Cov.).
302 Esta comparación (así en A y en B) ha suscitado
varias interpretaciones. Dixon lee: "al gracioso, entretenido", e interpreta *gracioso* como un término peyo-
rativo por ocupar el primer lugar en el verso. Mateo
Alemán, en el prólogo "Al vulgo" de su *Guzmán de
Alfarache,* reúne a los *graciosos* con los *lascivos* y los
mentirosos. Cov. trae "decir gracias, chacotear agu-
damente, aunque si no se hace con discreción, suele
costar muy caro" (*s.v. gracia*). Y luego Dixon
corrige: *entretenido* (ms. Holland). *Entremetido,*
según Cov., es el "bullicioso" (*s.v. entremeter*), aunque trae que este verbo significa "ingerirse uno y
meterse donde no le llaman". McGrady propone:
"gracioso al entremetido".

al hablador, entendido,
y al insufrible, valiente.
305   Al cobarde, para poco;
al atrevido, bizarro;
compañero, al que es un jarro,
y desenfadado, al loco.
Gravedad, al descontento;
310   a la calva, autoridad;
donaire, a la necedad,
y al pie grande, buen cimiento.
Al buboso, resfriado;
comedido, al arrogante;
315   al ingenioso, constante;
al corcovado, cargado.
Esto llamaros imito,
damas, sin pasar de aquí;
porque fuera hablar así
320   proceder en infinito.

LAURENCIA

Allá en la ciudad, Frondoso,

307 *ser un jarro:* "al que es necio decimos que es un jarro, pre-
suponemos que es de vino, y si de agua, grosero y basto"
(Cov.).
315 *ingenioso:* el término no está tomado en su sentido posi-
tivo, como aparece en Cov.: "el que tiene sutil y delgado
ingenio" (*s.v. ingenio*), sino negativo. Conviene recordar
que Cervantes tituló su libro *El ingenioso hidalgo don
Quijote de la Mancha,* en donde se echa de ver que el término se aplica al que, por un exceso de ingenio, se com-
porta de forma anómala e imprevista, el maníaco. Véase
Louis Combet, "Ingenio et *manía*": A propos du vers 315
de *Fuente Ovejuna* de Lope de Vega", *Actes du VIII
Congrès National des Hispanistes Français de l'Enseig-
nement Superiur,* Grenoble, Université des Langues et
Lettres, 1972, pp. 62-76.
317 Así en A y B; desde Hartzenbusch se restituye *al* entre
Esto y *llamaros.* Pudiera sobreentenderse: *Esto* [la relación antedicha] *imito* [al] *llamaros damas* [por villanas].

llámase por cortesía
de esa suerte; y a fe mía,
que hay otro más riguroso
325   y peor vocabulario
en las lenguas descorteses.

FRONDOSO

Querría que lo dijeses.

LAURENCIA

Es todo a esotro contrario;
al hombre grave, enfadoso;
330   venturoso, al descompuesto;
melancólico, al compuesto,
y al que reprehende, odioso.
Importuno, al que aconseja;
al liberal, moscatel;
335   al justiciero, cruel,
y al que es piadoso, madeja.

326 *descorteses:* referido a las gentes de la ciudad que no participan de la condición cortés o elevada (noble o
   hidalga); la gente de aldea, por tanto, se salva del desconcierto.
330 *descompuesto:* Cov. (*s.v. componer*) trae varias acepcio-
   nes, y una, que puede convenir aquí, es "al que han pri-
   vado de algún lugar honrado, por demérito". No está
   claro el sentido: *descompuesto* se aplica al descuidado en
   el vestir o al que dice palabras atrevidas.
334 Por errata, en A y B: *liberal al moscatel.* De *moscatel:*
   J. F. Montesinos precisa que esta palabra en Lope significa inexperto, inocente, *primo.* Es expresión apicarada, y
   la usa en relación con *bisoños, bobos* y *engaños* (*Poesías
   líricas,* ed. Clásicos Castellanos, II, p. 139): aquí conviene
   con el sentido de 'hombre pesado, torpe, ignorante'.
   Véase A. Alonso, *Marginalismo,* p. 541. Aquí parece indi-
   car al que se excede en el gasto de su caudal.
336 *madeja:* "madeja sin cuerda", "por el que es mal aliñado y
   desmazalado" (Cov.), probablemente porque el hombre
   piadoso viste con modestia.

   Al que es constante, villano;
al que es cortés, lisonjero;
hipócrita, al limosnero,
340 y pretendiente, al cristiano.
   Al justo mérito, dicha;
a la verdad, imprudencia;
cobardía, a la paciencia,
y culpa, a lo que es desdicha.
345   Necia, a la mujer honesta;
mal hecha, a la hermosa y casta,
y a la honrada... Pero basta,
que esto basta por respuesta.

MENGO

  Digo que eres el dimuño.

BARRILDO

350 ¡Soncas, que lo dice mal!

MENGO

  Apostaré que la sal
la echó el cura con el puño.

---

337 Por cuanto, el hombre de la villa, sobre todo si es de
campo, ha de trabajar con orden y a su tiempo, frente a la
improvisación de la vida de los hidalgos de ciudad.

340 *cristiano:* "El que sigue a Cristo y le imita" (Cov.). Quiere
decir el que cumple con la condición religiosa sin aspavientos y con un sentido espiritual, pues les parece que
busca lo contrario: triunfar en la sociedad del mundo.
Acaso quiera implicarse al cristiano *viejo,* por ser esta
condición necesaria para pretender los cargos.

349 *dimuño:* 'demonio', forma rústica de la palabra; empleando
esta forma, Mengo va conformando su condición por
entre los personajes.

350 *Soncas:* Exclamación rústica: 'a fe'.

351 Cov. indica que *sal* "por alusión tiene infinitas significaciones, la primera y principal es singular, la sabiduría [...]. Al
que es gracioso decimos que es una sal; insulso al desgra-
ciado" (Cov., *s.v. sal*). Refiérese a la ceremonia del bautizo.

LAURENCIA

¿Qué contienda os ha traído,
si no es que mal lo entendí?

FRONDOSO

355 Oye, por tu vida.

LAURENCIA

Di.

FRONDOSO

Préstame, Laurencia, oído.

LAURENCIA

¿Cómo prestado? Y aun dado.
Desde agora os doy el mío.

FRONDOSO

En tu discreción confío.

LAURENCIA

360 ¿Qué es lo que habéis apostado?

FRONDOSO

Yo y Barrildo contra Mengo.

LAURENCIA

¿Qué dice Mengo?

BARRILDO

Una cosa

357 Juego de palabras sobre la expresión *prestar oído* 'aten-
der'; se da el valor semántico pleno al término *prestar* y se
sustituye con cómica liberalidad por el *dar,* que no forma
expresión.

que, siendo cierta y forzosa,
la niega.

MENGO

    A negarla vengo,
365   porque yo sé que es verdad.

LAURENCIA

¿Qué dice?

BARRILDO

Que no hay amor.

LAURENCIA

Generalmente, es rigor.

BARRILDO

Es rigor y es necedad.
   Sin amor, no se pudiera
370   ni aun el mundo conservar.

---

367 *generalmente:* 'en términos generales, sin especificación'.
   rigor: es, como el anterior, término de resonancias cultas, que Cov. recoge en la acepción: "llevar una cosa por todo rigor es llevarla por todo extremo".
370 Aun tratándose de labradores, se plantea desde el principio la función del amor, con la mención, en primer lugar, de conservador del mundo. Los espectadores de la comedia no se extrañan porque (como dije antes) en los libros de pastores encuentran episodios en los que se examinan como aquí estas funciones del amor como clave del universo. El propio Lope se había valido de estas exposiciones sobre el amor en el curso de su libro pastoril *La Arcadia* (1598); en una de ellas, Cardenio, al que los demás conocen como el Rústico, había expuesto su opinión en una canción (ed. Castalia, pp. 346-350, véase la nota al verso 408.) Este pastor, aunque rústico como estos de *Fuente Ovejuna,* también tiene voz para referirse al amor de una manera teórica, como aquí.

MENGO

Yo no sé filosofar;
leer, ¡ojalá supiera!
    Pero si los elementos
en discordia eterna viven,
375   y de los mismos reciben
nuestros cuerpos alimentos...
    cólera y melancolía,
flema y sangre, claro está.

BARRILDO

El mundo de acá y de allá,
380   Mengo, todo es armonía.
    Armonía es puro amor,
porque el amor es concierto.

371   Y, sin embargo, y a su medida, sí filosofa. Aunque sea una
      contradicción, esto crea una realidad literaria que el
      género emana sobre los espectadores y lectores.
374   Mengo establece su teoría del amor sobre bases aristotéli-
      cas, en su interpretación de la sicología médica de la época
      con la teoría de los temperamentos: el colérico, el melan-
      cólico, el flemático y el sanguíneo. La perpetua discordia
      de los elementos crea esta diversidad y la variedad de
      temperamentos. Según L. Combet (véase el artículo
      citado en la nota al verso 315, p. 73), esta mención pudiera
      proceder de la influencia del *Examen de ingenios* de
      J. Huarte en su teoría de las "destemplanzas".
379   Barrildo se basa en tópicos pitagóricos. Según L. Spitzer:
      "el mundo de allá es la armonía pitagórica de las esferas
      celestiales que se refleja sobre la tierra *(el mundo de acá)*
      en la amistad y amor mundanos". *Un tema central...*,
      p. 126. En términos más simples: 'cielos y tierra'.
380   *Armonía* es palabra clave: es el resultado, realización y
      presencia del amor universal o *puro*.
382   *Concierto,* que, según L. Spitzer significa *concordia dis-
      cors,* o sea lucha amorosa, rivalidad en el amor, es el tér-
      mino tradicional usado en tiempos de Lope para señalar
      la causa del funcionamiento armonioso de las leyes de la
      naturaleza. *Un tema central...*, p. 126.

MENGO

Del natural, os advierto
que yo no niego el valor.
385   Amor hay, y el que entre sí
gobierna todas las cosas,
correspondencias forzosas
de cuanto se mira aquí;
    y yo jamás he negado
390 que cada cual tiene amor
correspondiente a su humor
que le conserva en su estado.
    Mi mano al golpe que viene
mi cara defenderá;
395 mi pie, huyendo, estorbará
el daño que el cuerpo tiene.
    Cerraránse mis pestañas
si al ojo le viene mal,
porque es amor natural.

PASCUALA

400 Pues ¿de qué nos desengañas?

MENGO

De que nadie tiene amor
más que a su misma persona.

383 Mengo se refiere el amor *natural,* y lo concierta con la teoría del *gobierno* (orden) *de todas las cosas* (universal). La
naturaleza ordena la condición del *amor* según la calidad
del *humor* para así conservarse cada uno en *su estado.*
Esta conservación mueve los actos corporales que expone
(393-397), porque el *amor natural* los guía, aun sin contar
con la voluntad.

393 Mengo, al pastor más rústico del grupo, pone este ejemplo, que, como indica Dixon, se lee en los *Diálogos de
amor* de León Hebreo: "verás herir a uno en la cabeza y
naturalmente poner el brazo delante para librar la cabeza"
(ed. NBAE, 308, b). Con todo, es observación de la experiencia, que asume Mengo.

401 La consecuencia de Mengo es que sólo existe el amor que
en último término revierta en la persona.

PASCUALA

Tú mientes, Mengo, y perdona;
porque ¿es materia el rigor
405   con que un hombre a una mujer
o un animal quiere y ama
su semejante?

MENGO

Eso llama
amor propio, y no querer.
¿Qué es amor?

LAURENCIA

Es un deseo
410   de hermosura.

404 Desde Hartzenbusch, algunos editores cambian *materia*
(que está en A y en B) por *mentira. Materia* es término
filosófico que se emplea en otro diálogo sobre el amor
(v. 1090). Pascuala inquiere si el amor de los seres vivos
implica el dominio y exigencias de la materialidad. Ni A ni
B traen el signo de interrogación, y así Dixon imprime
estos versos sin él. El tono interrogativo me parece que
obedece a la andadura del diálogo, en el que se alternan
preguntas y respuestas.

408 Pero Mengo insiste en darle un efecto personal que llama
propio. Cardenio, el "Rústico", un pastor de *La Arcadia,*
dice que este amor natural "es la fuente / del bien y
aumento del hombre" (ed. Castalia, p. 349). Por eso el sentido natural del amor inclina a hombre y mujer a la unión.

409 Es difícil identificar la procedencia de esta exposición
sobre el amor en Lope: se trata, por otra parte, de ideas
que son comunes y están expuestas en los tratados de
filografía más leídos. Dixon propone el *Simposio* de Platón, a través de la versión de Ficino. De todas maneras,
esta pregunta se encuentra en la órbita de los ya referidos libros de pastores. Laurencia replantea la cuestión
de amor en un dominio filosófico entendiendo que es un
deseo de hermosura que inclina al goce, del cual resulta

MENGO

Esa hermosura
¿por qué el amor la procura?

LAURENCIA

Para gozarla.

MENGO

Eso creo.
Pues este gusto que intenta,
¿no es para él mismo?

LAURENCIA

Es así.

MENGO

415   Luego, ¿por quererse a sí
busca el bien que le contenta?

LAURENCIA

Es verdad.

MENGO

Pues de ese modo
no hay amor, sino el que digo,
que por mi gusto le sigo,
420   y quiero dármele en todo.

BARRILDO

Dijo el cura del lugar

---

un contento para sí; sigue el sentido expuesto por León
Hebreo: "...del cual solamente habla Platón, y define que es
deseo de hermosura; esto es deseo de unirse con una persona hermosa o con una cosa hermosa para poseerla" (trad.
del Inca Garcilaso, NBAE, ed. M. Pelayo, IV, p. 378).
421 La mención del *cura del lugar* es un ardid de Lope para
ofrecer al espectador un motivo para justificar la altura de

cierto día en el sermón
que había cierto Platón
que nos enseñaba a amar;
425   que este amaba el alma sola
y la virtud de lo amado.

PASCUALA

En materia habéis entrado
que, por ventura, acrisola
los caletres de los sabios
430   en sus cademias y escuelas.

LAURENCIA

Muy bien dice, y no te muelas

---

la discusión, pero era bien sabido que los curas lugareños
no se entretenían en tales lecturas, ni menos las mencio-
naban en sus sermones.

423 Barrildo asegura que Platón es escuela de amor, y que el
eje de su enseñanza es el amor espiritual, de las almas
solas, en la consideración de la virtud, resumiendo así en
dos versos (425-427) la teoría platónica del amor. No olvi-
demos que estos consejos convenían poco con los hábitos
de Lope, pues, como recuerda Dixon, en la *Dorotea* había
escrito: "Belardo.—El amor platónico siempre le tuve por
quimera en agravio de la naturaleza, porque se hubiera
acabado el mundo" (ed. J. M. Blecua, Madrid, Revista de
Occidente, 1955, p. 243).

429 *caletre:* 'tino, discernimiento', derivado semiculto de *cha-
racter.*

430 *cademia:* aféresis de *academia,* de tono vulgar para templar la altura de la discusión.

431 *te muelas:* es expresión coloquial que recoge Cov.: "Algunas veces, por metáfora, *moler* vale 'cansar e importunar'"
(*s.v. muelas*). Este uso contrasta con el empleo de *persuadir,* palabra de la que dice Cor.: "Es corriente en el Siglo
de Oro, aunque no ha llegado nunca a hacerse voz
corriente en el estilo oral" (*s.v. persuadir*). Cov. lo define
enviando al verbo latino *persuadere* y a la mención de
'persuasión'.

en persuadir sus agravios.
  Da gracias, Mengo, a los cielos,
que te hicieron sin amor.

MENGO

435   ¿Amas tú?

LAURENCIA

Mi propio honor.

FRONDOSO

Dios te castigue con celos.

BARRILDO

¿Quién gana?

PASCUALA

Con la quistión

---

432 *agravios* no es la palabra que cabría esperar, salvo que es
   Laurencia quien lo dice, enemiga aparente de amor. En el
   fondo del diálogo están las grandes discusiones de los tra-
   tadistas del amor sobre qué sea el amor y su definición. La
   lengua de la comedia oscila en este punto crítico en el que
   los labradores de Fuente Obejuna tratan de estas cuestiones a la manera de los pastores de los libros pastoriles, en
   donde se encuentran estas discusiones, como dije.
435 La respuesta de Laurencia es muy importante, pues marca
   el rumbo que seguirá la comedia, y tiene también su sentido filosófico; según León Hebreo, el honor legítimo es
   premio de las virtudes honestas; "aunque de su propia
   naturaleza es deleitable, su deleite se mezcla con lo
   honesto" (*Ídem.*, p. 295). Este honor de sí propio trae consigo la honestidad.
436 Es la única intervención de Frondoso, que es el que
   conoce mejor que todos el rigor de la experiencia del
   amor por el que siente por Laurencia.
437 *quistión*, la forma rústica es otro intento de templar el
   diálogo.

podéis ir al sacristán,
porque él o el cura os darán
440   bastante satisfación.
　　　Laurencia no quiere bien;
yo tengo poca esperiencia.
¿Cómo daremos sentencia?

FRONDOSO

¿Qué mayor que ese desdén?

[ESCENA V]

Sale FLORES.

FLORES

445   Dios guarde a la buena gente.

PASCUALA [*a* LAURENCIA *aparte.*]

Éste es del Comendador
criado.

439 El sacristán y el cura son las instancias superiores en el
mundo oral, y ellos, como dije, pueden actuar como los
"sabios" en la rústica academia. Con esto se resguarda
Lope del peligro que esta exposición de ideas filosóficas
pudiera suscitar en un inquisidor riguroso en exceso,
gracias al sentido cómico (y por tanto, risueño, emanador
de risas) del episodio.
444 Lo que hasta aquí se ha planteado en una dimensión
general (filosófica), Laurencia y Frondoso (los dos
atendiendo al signo literario del nombre) lo han de
aplicar a su caso personal: Laurencia, en el acoso erótico a que la somete el Comendador, y Frondoso, en el
proceso de su amor por Laurencia. La trama amorosa
se inicia.

LAURENCIA

¡Gentil azor! [*a* FLORES.]
¿De adónde bueno, pariente?

FLORES

¿No me veis a lo soldado?

LAURENCIA

450   ¿Viene don Fernando acá?

FLORES

La guerra se acaba ya,
puesto que nos ha costado
alguna sangre y amigos.

FRONDOSO

Contadnos cómo paso.

FLORES

455   ¿Quién lo dirá como yo,
siendo mis ojos testigos?
Para emprender la jornada

---

447 *¡Gentil azor!: Gentil* es adjetivo que se aplica en canciones a *caballero* o *dama,* que comienzan así; aquí
Laurencia se vale del término *azor* sabiendo su uso en
la germanía: 'ladrón de categoría' (J. L. Alonso, *Mar-
ginalismos,* p. 82), y aplicándolo al criado del Comendador. No es necesario que sea ladrón de objetos, sino
aquí de honras. No se olvide el uso de palabras de
cetrería en las canciones de amor. Como en el español
actual: "¡Menudo pájaro!"
448 *pariente:* aquí (como antes *pío-tío,* v. 256) es apelativo
rústico para interpelar a un conocido, con una cierta
ironía en este caso.
452 *Puesto que:* 'aunque'.
457-464 Lope tomó de la *Chrónica* de Rades el episodio de la
jornada de Ciudad Real: "En este tiempo el Maestre

de esta ciudad, que ya tiene
nombre de Ciudad Real,
460   juntó el gallardo Maestre
dos mil lucidos infantes
de sus vasallos valientes,
y trecientos de a caballo,
de seglares y de freiles;
465   porque la Cruz roja obliga
cuantos al pecho la tienen,
aunque sean de orden sacro;
mas contra moros se entiende.
Salió el muchacho bizarro

---

juntó en Almagro trescientos de caballos entre freiles de su
orden y seglares, con otros dos mil peones, y fue contra
Ciudad Real con intento de tomarla para su Orden"
(fol. 79). Se puede observar la coincidencia de las cifras y
alguna expresión. En el punto en que Flores comienza la
narración del caso bélico, la métrica pasa al romance
hasta el verso 528, aun dentro de la intervención hablada
de un mismo personaje, que aquí comenzaría un parlamento, acompañado de la gesticulación y entonación convenientes.

468 El propio Flores, criado del Comendador, indica que el
uso de la fuerza militar de los freiles no se emplea en una
forma legal, porque no son moros, sino cristianos a los que
se combate.

469 Esto justifica la condición de *muchacho* ("la niñería",
según Cov., *s.v. mochacho*) como *moço*: "Algunas veces la
condición de la misma edad que, con la poca experiencia
y mucha confianza, suele hacer algunas cosas fuera de
razón" (Cov.). De esta manera se puede justificar la
acción impropia contra los Reyes. Sin embargo, Lope
subraya su condición bizarra; la *casaca* es "un género de
ropilla abierto por los lados" (Cov.). El anacronismo
domina la descripción de los vestidos, como lo haría con la
vestimenta de los cómicos.

La descripción brillante y rica del Maestre sería para
Lope ocasión de halagar a la familia de los Girones, pro-
tectores del escritor. En 1598 había dedicado *La Arcadia*
a don Pedro Téllez Girón, tercer Duque de Osuna, y en la

470 con una casaca verde,
 bordada de cifras de oro,
 que sólo los brazaletes
 por las mangas descubrían,
 que seis alamares prenden.
475 Un corpulento bridón,
 rucio rodado, que al Betis
 bebió el agua, y en su orilla
 despuntó la grama fértil;
 el codón, labrado en cintas
480 de ante; y el rizo copete,
 cogido en blancas lazadas,

---

dedicatoria refiere que antes la tenía dirigida a don Juan, el segundo Duque.

471 *Cifras de oro:* esta acepción de cifras como adorno bordado que representa un dibujo de letras o trazos era propio de la descripción de los vestidos de gala.

474 *Alamar:* "botón de macho y hembra, hecho de trenzas de seda de oro" (Cov.).

475 *Bridón:* 'caballo propio para ser ensillado con bridón': "Estos frenos tienen las camas en que se asen las riendas muy largas, y ellos en sí tienen mucho hierro, y como en España se usó la jineta... con frenos o bocados recogidos y estribos anchos y de cortas aciones, a estos llamaron jinetes, y a esotros *bridones,* los cuales llevan los estribos largos y la pierna tendida, propia caballería para hombres de armas" (Cov.).

476 *rucio rodado:* lo común es que se refiera a un caballo de pelo pardo claro, tirando a blanco, con manchas más o menos redondas de un tono más oscuro. Sin embargo, la referencia del v. 482 hace pensar que estas manchas destaquen como más claras que el resto de la piel.

479 A_2 y B: *colón.* En el texto, como en A. La forma registrada en los diccionarios es *codón,* probable italianismo *(codone),* que es 'bolsa para cubrir la cola del caballo'; la forma usada en A_2 y B muestra un evidente cruce con *cola.*

480 *rizo copete.—Copete:* "En los caballos es el mechón de crin que les cae sobre la frente de entre las orejas" (Cov.); *rizo* en A: "Enrizar el cabello, enrizado. Púdose decir *rizo (quasi erizo)* por estar levantado" (Cov.). *Rico* en A_2 y B.

que con las moscas de nieve
que bañan la blanca piel
iguales labores teje.
485   A su lado Fernán Gómez,
vuestro señor, en un fuerte
melado, de negros cabos,
puesto que con blanco bebe.
Sobre turca jacerina,
490   peto y espaldar luciente,
con naranjada [casaca],
que de oro y perlas guarnece
el morrión, que, coronado
con blancas plumas, parece
495   que del color naranjado
aquellos azares vierte.
Ceñida al brazo una liga

---

482 *moscas de nieve:* Contando con la acepción *moscas blan-cas,* aplicada a la nieve *(Dicc. Autoridades),* serían leves manchas más blancas que la piel, como propone Blecua. De todas maneras, la expresión no es clara.
487 *melado:* 'de color como la miel'.
487 *negros cabos:* se refiere a las patas, hocico y crines del caballo.
488 *beber con blanco:* se entiende con *blanco belfo;* el color blanco del labio del caballo está en contraste con el negror de los cabos. En el *Diccionario de Autoridades* se indica que es señal de que son buenos y leales.
489 *turca jacerina:* se refiere a la cota que vestía; las cotas de malla más finas "son las que antiguamente se labraban en Argel, y por esto se llaman *jacerinas*" (Cov.).
491 A y B: *con naranjada las saca.* Me parece bien la rectifi-cación que propone Don Cruickshank, "Some uses of palaeographic and orthographical evidence in *Comedia* editing", *Bulletin of the Comediantes,* XXIV-2, 1972, pp. 40-45, presumiendo una corrupción de *cassaca,* pala-bra usada en 470 en forma paralela.
493 Blecua prefiere la lección de la variante A *corona,* e imprime: "el morrión, que corona".
496 El morrión ("capacete o celada", según Cov.) está coro-nado de blancas plumas, que, asociadas con el color

roja y blanca, con que mueve
un fresno entero por lanza,
500 que hasta en Granada le temen.
La ciudad se puso en arma;
dicen que salir no quieren
de la corona real,
y el patrimonio defienden.
505 Entróla, bien resistida;
y el Maestre a los rebeldes
y a los que entonces trataron
su honor injuriosamente,
mandó cortar las cabezas;
510 y a los de la baja plebe,
con mordazas en la boca,
azotar públicamente.
Queda en ella tan temido
y tan amado, que creen

---

naranja de la casaca, se convierte en las flores de aza-
har, impresas *azares*.
501-512 Dice la *Chrónica* de Rades: "[...] los de Ciudad Real
se pusieron en defensa por no salir de la Corona Real,
y sobre esto hubo guerra entre el Maestre y ellos, en
la cual de ambas partes murieron muchos hombres.
Finalmente el Maestre tomó la ciudad por fuerza de
armas [...] Tuvo el Maestre la ciudad muchos días, y
hizo cortar la cabeza a muchos hombres de ella porque habían dicho algunas palabras injuriosas contra él
y a otros de la gente plebeya hizo azotar con mordazas en las lenguas" (fol. 79). De nuevo vuelve a seguir
fielmente la *Chrónica*.
510 *baja plebe:* Flores designa así al pueblo común, a los
que no merecieron la muerte por su baja condición
social. En el caso de Ciudad Real se trataba de una
ciudad (501), donde había diversidad de clases. El
mismo Flores llamará también *plebe* (1969) a los que
se levanten contra el Comendador y lo maten. La
matización léxica, ya presente en la *Chrónica,* acom-
paña el proceso de la formación de un concepto ele-
vado del pueblo a lo largo de la comedia.

515   que quien en tan pocos años
         pelea, castiga y vence,
         ha de ser en otra edad
         rayo del África fértil,
         que tantas lunas azules
520   a su roja Cruz sujete.
         Al Comendador y a todos
         ha hecho tantas mercedes,
         que el saco de la ciudad
         el de su hacienda parece.
525   Mas ya la música suena:
         recebilde alegremente,
         que al triunfo las voluntades
         son los mejores laureles.

[ESCENA VI]

Sale el COMENDADOR *y* ORTUÑO; MÚSICOS; JUAN ROJO
  [*Regidor*], *y* ESTEBAN [*y*] ALONSO, ALCALDES.

Cantan

         Sea bien venido
530   *el Comendadore*
         de rendir las tierras
         y matar los hombres.
         ¡Vivan los Guzmanes!

---

517 Anuncia con esto la posterior actividad del Maestre con-
    tra moros, que no llegaría a esta apoteosis por su tem-
    prana muerte en el sitio de Loja en 1482.
519 *lunas azules:* las banderas de los moros, a los que el Maes-
    tre quiere vencer, y así quedan enfrentados los dos colores.
529 Sobre esta canción y las otras villanescas de la obra, véase
    F. López Estrada (1989).
530 La *-e* epentética (que en las viejas canciones de gesta pudo
    ser un arcaísmo conservado por la rima) es aquí un

> ¡Vivan los Girones!
> 535 Si en las paces blando,
> dulce en las razones.
> Venciendo moricos,
> [fuerte] como un roble,
> de Ciudad Reale
> 540 viene vendedore;
> que a Fuente Ovejuna
> trae sus pendones
> ¡Viva muchos años,
> viva Fernán Gómez!

---

adorno de sentido arcaizante y rústico, usado para dar tono al canto de los músicos. La rima *ó-e* del romancillo la hace posible en *Comendadore* y *vencedore* (540); en *Ciudad Reale* (539) no está bajo la rima; véase el estudio de estos cantos en N. Salomon, *Lo villano...*, pp. 607-620. Los términos del canto y el ofrecimiento han llevado a algún crítico a suponer que en ellos se manifiesta "la burla socarrona de los villanos" (E. F. Rubens, 1964, p. 139).

537 No hay tales *moricos*, diminutivos propio del léxico de la canción tradicional que empequeñece el peligro del moro y lo relaciona con las amables *moricas* del Cancionero (las moricas de Jaén y otras; véase Margit Frenk, *Corpus de antigua lírica...*, Madrid, Castalia, 1987, 16A, 16B y 17). Para los aldeanos el señor vuelve de una guerra y usan las fórmulas de bienvenida que conocen; y en su ingenuidad, no saben de dónde viene (o no quieren saberlo). Éste es el punto de partida para que desde aquí se inicie la formación de su conciencia social, que ha de culminar en el fin de la comedia cuando, ante los Reyes (2388-2389), declaren su *inocencia* (2441), que es propia de la condición aldeana, uno de los motivos del perdón real.

538 A y B: *fuertes*. Acepto la enmienda de la ed. de M. G. Profeti (p. 28).

542 Así en A; A₂ y B: *trae los sus pendones;* el uso del artículo con el sustantivo da un aire arcaizante pero obliga a la pronunciación de *trae* como sinéresis.

COMENDADOR

545   Villa, yo os agradezco justamente
el amor que me habéis aquí mostrado.

ALONSO

Aun no muestra una parte del que siente.
Pero, ¿qué mucho que seáis amado,
mereciéndolo vos?

ESTEBAN

Fuente Ovejuna
550   y el Regimiento que hoy habéis honrado,
que recibáis, os ruega y importuna,
un pequeño presente, que esos carros
traen, señor, no sin vergüenza alguna,
de voluntades y árboles bizarros,
555   más que de ricos dones. Lo primero
traen dos cestas de polidos barros;

---

546 *Amor* en este caso es la honra que el vasallo muestra al
señor, y que es un trato de reciprocidad (549).
550 *Regimiento:* 'el cuerpo municipal o gobierno de la villa'.
551 Esteban se dirige, cuando dice su parlamento, a uno de los
lados como si lo que describe estuviera al fondo de la
escena, invisible para los espectadores. Esto explica el pormenor de la descripción, en la que la palabra suple la presencia de las riquezas aldeanas que se ofrecen al
Comendador. El señor había salido del fondo del escenario, de una puerta adornada como se dice en los vv. 583-584.
554 *árboles:* cabe interpretar estos árboles como "los mástiles
de los navíos" (Cov.), que aquí son los carros que traen el
presente. En esos "árboles" se supone que cuelgan algunos de los dones del pueblo al señor, mientras que otros
irían en las cajas de los carros.
556 *barros:* con un sentido inicial de tierra para fabricar loza,
aquí, la misma loza, probablemente en forma de vasijas u
ollas bien conformadas, pues eran *polidos* (vulgarismo,
por pulidos); y además, no irían vacíos. Obsérvese que
rima con *bizarros* y *carros*.

de gansos viene un ganadillo entero,
que sacan por las redes las cabezas,
para cantar vueso valor guerrero.

560   Diez cebones en sal, valientes piezas,
sin otras menudencias y cecinas;
y más que guantes de ámbar, sus cortezas.

Cien pares de capones y gallinas,
que han dejado viudos a sus gallos
565   en las aldeas que miráis, vecinas.

Acá no tienen armas ni caballos,
no jaeces bordados de oro puro,
si no es oro el amor de los vasallos.

Y porque digo puro, os aseguro
570   que vienen doce cueros, que aun en cueros

---

559 *vueso:* forma rústica por *vuestro.*
560 *cebones en sal:* Cov.: "cebón, el puerco que a posta engordan".
561 *menudencias y cecinas:* Cov.: *menudo* "se dice el vientre del carnero con manos y cabeza". Del mismo, *cecina* "es la carne salada y curada al cierzo".
562 Se refiere a la corteza del tocino, que se usa para preparar y dar sabor a otros platos. La comparación con los guantes de ámbar establece el contraste campo-ciudad, representada ésta por los guantes perfumados propios de las damas cortesanas.
565 En efecto, Fuente Obejuna tiene a su alrededor varias aldeas; en la *Historia de Fuente Obejuna* de Francisco Caballero se dice que en 1783 había veinticuatro aldeas o poblaciones, repartidas las más por Sierra Morena.
568 Obsérvese la valoración de este amor social, tenido por *oro puro,* frente a los otros posibles regalos bélicos. La expresión *oro* puro se asocia en el verso siguiente con la de [*vino*] *puro,* como ocurre en Cov.: "*Puro:* lo que no tiene mezcla de otra cosa, como vino puro, verdad pura" (*s.v. puro*), que queda implícita en el verso siguiente.
570 *en cueros,* que significa 'desnudos'; y por eso dice que *en enero* (o sea en el tiempo de más frío) los soldados podrán, bebiendo de los cueros de vino, guardar el muro. Cov. escribe: "*Cuero* significa la odre de pellejo del cabrón, y por alusión, el borracho, por estar lleno de vino".

por enero podéis guardar un muro,
   si de ellos aforráis vuestros guerreros,
mejor que de las armas aceradas;
que el vino suele dar lindos aceros.
575   De quesos y otras cosas no escusadas
no quiero daros cuenta: justo pecho
de voluntades que tenéis ganadas;
y a vos y a vuestra casa, ¡buen provecho!

COMENDADOR

Estoy muy agradecido.
580   Id, Regimiento, en buen hora.

ALONSO

Descansad, señor, agora,
y seáis muy bien venido;
   que esta espadaña que veis,
y juncia, a vuestros umbrales
585   fueran perlas orientales,
y mucho más merecéis,
   a ser posible a la villa.

COMENDADOR

Así lo creo, señores.
Id con Dios.

ESTEBAN

     Ea, cantores,
590   vaya otra vez la letrilla.

---

574 *acero:* 'Aleación de hierro' (573) y 'ardimiento, bríos' en
    el manejo de las armas aquí.
576 *pecho:* 'Tributo que se paga al señor'.
583 *espadaña:* hierba ('Typha latifolia') "...en las fiestas, por
    ser verdes y frescas las espadañas, se echan por el suelo y
    cuelgan por las paredes" (Cov.); y lo mismo, la juncia.
585 *perlas orientales:* esta expresión es propia del lenguaje poé-
    tico (por ejemplo, en Herrera), y no de aldeanos (de ahí su

Cantan

Sea bien venido
el Comendadore
de rendir las tierras
y matar los hombres.

Vanse.

[ESCENA VII]

[*Mientras, al compás de la música, el grupo de la gente del pueblo se va yendo despacio de la escena, el* COMEN-DADOR *habla a* LAURENCIA *y* PASCUALA, *que acaban por quedar solas con él y sus criados.*]

COMENDADOR

595   Esperad vosotras dos.

LAURENCIA

¿Qué manda su señoría?

COMENDADOR

¿Desdenes el otro día,
pues, conmigo? ¡Bien, por Dios!

LAURENCIA

¿Habla contigo, Pascuala?

---

sentido burlesco); y además de significar las perlas de la joyería (las mejores, las de Oriente), designa los dientes de la amada y las gotas de rocío. McGrady indica que esto significa "un agüero funesto para Fernán Gómez".

PASCUALA

600   Conmigo no, ¡tirte ahuera!

COMENDADOR

Con vos, hablo, hermosa fiera,
y con esotra zagala.
        ¿Mías no sois?

PASCUALA

            Sí, señor;
mas no para cosas tales.

COMENDADOR

605   Entrad, pasad los umbrales;
hombres hay, no hayáis temor.

LAURENCIA

Si los alcaldes entraran,

600 *¡tirte ahuera!:* exclamación formada por *tir'te* < tírate, y
    ahuera 'afuera', con la aspiración rústica. Se entendía
    como propia de la gente de campo, y aparece en la versión
    literaria de la serranilla de Bores del Marqués de Santi-
    llana, en boca precisamente de la vaquera:

                    Dijo: Caballero,
                    tiradvos afuera;
                    dejad la vaquera
                    pasar el otero...

    Cervantes, ya con un sentido de humor creador, la utiliza
    lexicalizada (con lo que indica su mucho uso, sobre todo en
    el teatro): "...y quiso hacer *tirte afuera* de la sala..." (*Qui-
    jote,* II, cap. XLVII), por 'quiso irse de la sala'. Se tendría
    por expresión vulgar, y más aún en esta forma aspirada, en
    que se emplea sólo para reforzar lo que se dice.
605 Lo que había sido la plaza en que había ocurrido la recep-
    ción del Comendador, se transforma en este caso en los
    umbrales de su casa por la función de la palabra dramática.

que de uno soy hija yo,
bien huera entrar; mas si no...

COMENDADOR

610   ¡Flores!

FLORES

Señor...

COMENDADOR

¿Qué reparan
en no hacer lo que les digo?

FLORES

Entrá, pues.

LAURENCIA

No nos agarre.

FLORES

Entrad, que sois necias.

PASCUALA

Harre,
que echaréis luego el postigo.

---

608 De Esteban.
609 *huera:* por *fuera.* Laurencia extrema la condición rústica
   del habla para separarse así del Comendador, como seña-
   lando la diferencia entre sus clases sociales.
612 *Entrá* por *entrad,* que está inmediato (613). El término
   agarrar es adecuado aquí: "Asir de alguno con la garra,
   como hacen las aves de rapiña, y llevarle agarrado"
   (Cov.). Pudiera ser forma rústica, y adecuada por su trasfondo erótico.
613 *Harre,* interjección usada para las bestias; con la *h-* se
   encuentra en castellano medieval y en lugares de aspiración. Aquí responde a los rasgos rústicos.

FLORES

615   Entrad, que os quiere enseñar
          lo que trae de la guerra.

COMENDADOR [*A* ORTUÑO *aparte mientras se entra
                    en la casa.*]

          Si entraren, Ortuño, cierra.

LAURENCIA

          Flores, dejadnos pasar.

ORTUÑO

          ¡También venís presentadas
620   con lo demás!

PASCUALA

                    ¡Bien a fe!
          Desvíese, no le dé...

FLORES

          Basta, que son estremadas.

LAURENCIA

          ¿No basta a vueso señor
          tanta carne presentada?

ORTUÑO

625   La vuestra es la que le agrada.

623 *Vueso,* como en 559.
624 *carne:* F. Weber ("La expresión de la erótica...",
    p. 678) relaciona esta *carne* con la tríada de los enemigos
    del alma: mundo, demonio y carne, aquí en una significa-
    ción francamente erótica.
        presentada: como indica Cov. "presentado, lo que es
    dado", derivado de *presente:* "el donativo que se da de a una
    persona a otra en señal o de reconocimiento o de amor".

LAURENCIA

¡Reviente de mal dolor!

Vanse.

FLORES

¡Muy buen recado llevamos!
No se ha de poder sufrir
lo que nos ha de decir
630   cuando sin ellas nos vamos.

ORTUÑO

Quien sirve se obliga a esto.
Si en algo desea medrar,
o con paciencia ha de estar,
o ha de despedirse presto.

[ESCENA VIII]

[*Sala del palacio de los Reyes.*]

Vanse los dos y salgan el rey don FERNANDO, *la reina
doña* ISABEL, MANRIQUE *y acompañamiento.*

ISABEL

635   Digo, señor, que conviene

631-634 El tono sentencioso procede de la cercanía de refranes: "Quien bien sirve, premio alcanza", aplicado a
las dificultades del difícil servicio del Comendador.
Blecua (ed. 1981, p. 23) señala que Ortuño es un personaje hasta cierto punto ambiguo, perteneciente
acaso a un "bajo escalón nobiliario", que reflexiona
aquí sobre la condición moral·del servidor de un
noble indigno, ocasión y fomento del pecado. Blecua
insinúa si esta reflexión pudiera atribuirse al propio
Lope en relación con el caprichoso duque de Sessa.
634 A: *o ha despedirse de presto.*

el no haber descuido en esto,
por ver [a] Alfonso en tal puesto,
y su ejército previene.

    Y es bien ganar por la mano
640   antes que el daño veamos;
que si no lo remediamos,
el ser muy cierto está llano.

REY

    De Navarra y de Aragón
está el socorro seguro,
645   y de Castilla procuro
hacer la reformación
    de modo que el buen suceso
con la prevención se vea.

ISABEL

    Pues vuestra Majestad crea
650   que el buen fin consiste en [eso].

MANRIQUE

    Aguardando tu licencia
dos regidores están
de Ciudad Real: ¿entrarán?

637 [a] Ha de considerarse la *a* embebida en el nombre personal que sigue; su falta indica referencia a personas
indefinidas (como: *matar los hombres,* 532). Recuérdese que este Alfonso es el Rey de Portugal, antes
mencionado en 91.
     puesto: 'en tal postura o disposición de atacar a los
Reyes Católicos'.
650 A y B: *esto.* La corrección se hace para restablecer la
rima con *suceso.*
650-651 *Don Manrique:* Don Rodrigo Manrique, Comendador de Segura y Conde de Paredes, titulado Maestre
de Santiago, a la muerte de don Juan Pacheco (1474,
según A. Bernáldez, *Memorias,* pp. 83-84). Véase 81.

REY

No les nieguen mi presencia.

[ESCENA IX]

Salen dos REGIDORES *de Ciudad Real.*

REGIDOR 1.º

655   Católico rey Fernando,
a quien ha enviado el cielo
desde Aragón a Castilla
para bien y amparo nuestro:
en nombre de Ciudad Real
660   a vuestro valor supremo
humildes nos presentamos,
el real amparo pidiendo.
A mucha dicha tuvimos
tener título de vuestros,
665   pero pudo derribarnos
de este honor el hado adverso.
El famoso don Rodrigo
Téllez Girón, cuyo esfuerzo
es en valor estremado,
670   aunque es en la edad tan tierno,
Maestre de Calatrava,
él, ensanchar pretendiendo
el honor en la Encomienda,
nos puso apretado cerco.
675   Con valor nos prevenimos,
a su fuerza resistiendo,
tanto, que arroyos corrían
de la sangre de los muertos.
Tomó posesión, en fin;
680   pero no llegara a hacerlo,
a no le dar Fernán Gómez

---

681 *a no le dar.* Después del adverbio negativo, antecedido de

orden, ayuda y consejo.
Él queda en la posesión,
y sus vasallos seremos;
685   suyos, a nuestro pesar,
a no remediarlo presto.

REY

¿Dónde queda Fernán Gómez?

REGIDOR 1.º

En Fuente Ovejuna creo,
por ser su villa y tener
690   en ella casa y asiento.
Allí, con más libertad
de la que decir podemos,
tiene a los súbditos suyos
de todo contento ajenos.

---

preposición, precede el pronombre al infinitivo; sería
aquí fórmula convencional en el romance relator.
Obsérvese: *no haberle* (696) y 903.

683-722 "Los de la Ciudad se quejaron a los Reyes Católicos de
los agravios y afrentas que los de la Orden de Calatrava
les hacían, y dijeron como en aquella ciudad había
pocos vecinos, y ninguno de ellos era rico ni poderoso
para hacer cabeza de él contra el Maestre, antes todos
eran gente común y pobre, por estar la ciudad cercada
de pueblos de Calatrava y no tener términos ni aldeas.
Los Reyes Católicos, viendo que si el Maestre de Calatrava quedaba con Ciudad Real, podía más fácilmente
acudir con su gente a juntarse con la del Rey de Portugal, que ya había entrado en Extremadura, enviaron
contra él a don Diego Fernández de Córdoba, Conde
de Cabra, y a don Rodrigo Manrique, Maestre de Santiago, con mucha gente de guerra" (*Chrónica,* fol. 79).
Puede observarse que Lope se ciñe al texto, excepto en
el enredo de Fernán Gómez.

691-694 Los regidores de Ciudad Real añaden esta referencia al
comportamiento de Fernán Gómez con el fin de que

REY

695   ¿Tenéis algún capitán?

REGIDOR 2.º

Señor, el no haberle es cierto,
pues no escapó ningún noble
de preso, herido o de muerto.

ISABEL

Ese caso no requiere
700   ser de espacio remediado,
que es dar al contrario osado
el mismo valor que adquiere.
        Y puede el de Portugal,
hallando puerta segura,
705   entrar por Estremadura
y causarnos mucho mal.

REY

Don Manrique, partid luego,
llevando dos compañías;
remediad sus demasías,
710   sin darles ningún sosiego.
        El conde de Cabra ir puede
con vos, que es Córdoba osado,
a quien nombre de soldado

---

el público recuerde la línea principal del argumento con la
que el hecho de Ciudad Real se relaciona. Estamos en el
acto primero, que es el que prepara la tensión que conduce
a la tragedia y a su solución "cómica".
700 *de espacio:* Cov. registra "ir de espacio o de priesa una
cosa" como sentidos opuestos, equivalentes a 'lenta o
rápidamente'.
703 Alfonso V.
711 *El Conde de Cabra:* Diego Fernández de Córdoba, Conde
de Cabra, Mariscal de Castilla. Por eso dice que es un
osado de la casa de Córdoba.

todo el mundo le concede;
715   que este es el medio mejor
que la ocasión nos ofrece.

MANRIQUE

El acuerdo me parece
como de tan gran valor.
Pondré límite a su exceso,
720   si el vivir en mí no cesa.

ISABEL

Partiendo vos a la empresa,
seguro está el buen suceso.

[ESCENA X]

[*Campo en las cercanías de Fuente Ovejuna.*]

Vanse todos y salen LAUR[ENCI]A *y* FRONDOSO.

LAURENCIA

A medio torcer los paños,
quise, atrevido Frondoso,
725   para no dar que decir,
desviarme del arroyo;
decir a tus demasías
que murmura el pueblo todo,
que me miras y te miro,
730   y todos nos traen sobre ojo.
Y como tú eres zagal

---

723 Laurencia, esta vez en el arroyo (lugar propicio a amo-
ríos), habla con Frondoso sobre sus relaciones, y le parecen *demasías* (v. 727) ("algunas veces significa agravio y
descortesía", Cov.), pero el rechazo es más signo de su
honestidad que expresión de voluntad contraria al joven.
731 *zagal:* es palabra de la literatura pastoril, de la lírica de
tendencia popular.

de los que huellan brioso
y, excediendo a los demás,
vistes bizarro y costoso,
735 en todo el lugar no hay moza
o mozo en el prado o soto,
que no se afirme diciendo
que ya para en uno somos;
y esperan todos el día
740 que el sacristán Juan Chamorro
nos eche de la tribuna,
en dejando los piporros.
Y mejor sus trojes vean
de rubio trigo en agosto
745 atestadas y colmadas
y sus tinajas de mosto,
que tal imaginación
me ha llegado a dar enojo:
ni me desvela ni aflige,
750 ni en ella el cuidado pongo.

738 La expresión procede de la misa de los esposos: *"... et erunt*
duo in carne una" (San Pablo a los Efesios, 5, 31, y San
Mateo, 19, 5); quiere decir que están destinados a casarse.
Lo mismo en los vv. 1300 y 1547 en relación con esta pareja,
y 2039, con los Reyes Católicos. Este sentido de la unidad,
signo de la armonía del amor, se refiere en conjunto a la
carne y al espíritu; y luego se convierte en unanimidad
cuando el Comendador trata de romper la unidad matrimonial de Laurencia y Frondoso, y sus desafueros levan-
tan al pueblo entero de Fuente Obejuna. Ambos casos
están coordinados por Lope a lo largo de la obra; véase
López Estrada, *Consideración crítica...,* pp. 42-45.
741 *tribuna:* "lugar levantado a modo de corredor adonde cantan los que ofician la misa y vísperas y las demás Horas"
(Cov.).
742 *los piporros: piporro:* 'bajón, instrumento musical de aire,
parecido al fagot'. Sería la designación aldeana del órgano de
la iglesia. McGrady entiende que quiere decir que, acabando
de tocar el órgano, el sacristán les lea las amonestaciones.
750 B: *el descuido pongo.* En A, como en el texto.

FRONDOSO

Tal me tienen tus desdenes,
bella Laurencia, que tomo,
en el peligro de verte,
la vida, cuando te oigo.
755 Si sabes que es mi intención
el desear ser tu esposo,
mal premio das a mi fe.

LAURENCIA

Es que yo no sé dar otro.

FRONDOSO

¿Posible es que no te duelas
760 de verme tan cuidadoso,
y que, imaginando en ti,
ni bebo, duermo ni como?
¿Posible es tanto rigor
en ese angélico rostro?
765 ¡Viven los cielos, que rabio!

LAURENCIA

¡Pues salúdate, Frondoso!

758 Así en B; A: *Es que que yo...*
760 *cuidadoso:* Cov. trae de *cuidar:* 'pensar'; *cuidadoso:* 'pensativo', lleno de cuidados (amorosos, se entiende). Acaso en relación con *cuitado:* "el que se lamenta de su miseria" (Cov., *s.v. cuita*). Laurencia había dicho poco antes que en la imaginación de verse casada con él no ponía "el cuidado" (v. 750).
764 Frondoso usa un cultismo como *angélico* para decir a Laurencia que tiene 'cara de ángel', un tópico de la divinización de la mujer por la vía del amor, tanto en la lírica culta como en la popular. En contraste, en el verso siguiente él confiesa *rabiar* por su amor, términos aldeanos.
766 *saludar:* "vale curar con gracia, y a los que esta tienen llamamos saludadores, y particularmente saludan el

FRONDOSO

Ya te pido yo salud,
y que ambos como palomos
estemos, juntos los picos,
770   con arrullos sonorosos,
después de darnos la Iglesia...

LAURENCIA

Dilo a mi tío Juan Rojo,
que, aunque no te quiero bien,
ya tengo algunos asomos.

FRONDOSO

775   ¡Ay de mí! El señor es este.

LAURENCIA

Tirando viene a algún corzo.
¡Escóndete en esas ramas!

FRONDOSO

¡Y con qué celos me escondo!

---

ganado" (Cov.). Del *salúdate* de Laurencia, que es mención propia del lenguaje de aldea y, como dice Cov., aplicable al ganado, Frondoso extrae *salud:* "la sanidad y
entereza del cuerpo" (Cov.). Con esto da a entender que
él se siente enfermo de amor.
768 La paloma, escribe Covarrubias, "es símbolo de los bien
casados".
771 Obsérvese que es una propuesta de amor matrimonial, a
la que ella accede y le señala la vía del trámite que ha de
seguir: hablarlo con su tío Juan Rojo para así ir introdu-
ciéndose a través de él en el trato familiar. En este punto
del diálogo, Frondoso se da cuenta de que se acerca el
Comendador rompiendo este encauzamiento del caso de
su amor.
776 A: *tirando viene algún corzo.* B como en el texto.

[ESCENA XI]

Sale el COMENDADOR.

COMENDADOR

No es malo venir siguiendo
780   un corcillo temeroso,
y topar tan bella gama.

LAURENCIA

Aquí descansaba un poco
de haber lavado unos paños.
Y así, al arroyo me torno,
785   si manda su Señoría.

COMENDADOR

Aquesos desdenes toscos
afrentan, bella Laurencia,
las gracias que el poderoso
cielo te dio, de tal suerte
790   que vienes a ser un monstro.

---

779 Es común que la caza sea alegoría del amor; véanse los
orígenes en Marcelle Thiébaux, *The Stage of Love. The
Chase in Medieval Literature,* Ithaca y Londres, Cornell
University Press, 1975. Más datos en mi artículo "Volando
en las alturas: persecución de una imagen poética en San
Juan de la Cruz", *Presencia de San Juan de la Cruz,* Granada, Universidad, 1993, pp. 265-287, sobre la cetrería; y
en concreto para esta obra, E. Michael Merli, "The Hunt
of Love: the Literatization of a Metaphor in *Fuente Ovejuna*", *Neophilologus,* LXIII, 1979, pp. 54-58.
784 *si manda su señoría:* entiéndase 'Si su señoría [no] manda
[otra cosa]', 'Si su señoría [lo] manda'. Es un lenguaje conversacional formulario, recortado por el temor de Laurencia.
790 *monstro:* era la forma usual por *monstruo.*

Mas si otras veces pudiste
huir mi ruego amoroso,
agora no quiere el campo,
amigo secreto y solo;
795   que tú sola no has de ser
tan soberbia, que tu rostro
huyas al señor que tienes,
teniéndome a mí en tan poco.
¿No se rindió Sebastiana,
800   mujer de Pedro Redondo,
con ser casadas entrambas,
y la de Martín del Pozo,
habiendo apenas pasado
dos días del desposorio?

LAURENCIA

805   Esas, señor, ya tenían,
de haber andado con otros,
el camino de agradaros,
porque también muchos mozos
merecieron sus favores.
810   Id con Dios tras vueso corzo;
que a no veros con la Cruz,
os tuviera por demonio,
pues tanto me perseguís.

COMENDADOR

¡Qué estilo tan enfadoso!

799-804 El curso sintáctico no queda claro: *entrambas* debiera
referirse a dos, y tal como está sólo lo hace a una.
Blecua sugiere que pueden faltar dos versos entre los
800 y 801, en donde figurarían el nombre de otra y el del
marido, u otra mención, y entonces el *entrambas* adqui-
riría sentido. Mi sugerencia es que el verso *mujer de
Pedro Redondo* estuviese por otro parecido a: *y la
de Pedro Redondo* o algo semejante, y así no se nece-
sitaría restituir versos.
811 La insignia en el vestido.

815   Pongo la ballesta en tierra,
        y a la práctica de manos
        reduzgo melindres.

LAURENCIA

                ¡Cómo!
¿Eso hacéis? ¿Estáis en vos?

[ESCENA XII]

Sale FRONDOSO *y toma la ballesta.*

COMENDADOR [*creyéndose solo, a* LAURENCIA.]
No te defiendas.

FRONDOSO [*Aparte.*]

                Si tomo
820   la ballesta, ¡vive el cielo,
        que no la ponga en el hombro...!

COMENDADOR

Acaba, ríndete.

LAURENCIA

                ¡Cielos,
ayudadme agora!

815-816 Falta entre estos dos versos uno para mantener la
        continuidad de la rima, pero no para el sentido. Algu-
        nos editores cuentan desde aquí el verso que falta
        como uno más.
   818 *reduzgo:* es un caso de la propagación de las termina-
        ciones verbales *-go,* como *conduzgo, plazgo,* que
        toman carácter popular extendidas a otras palabras:
        conozgo, etcétera.
   821 Teme que, llevado por la justa ira, no la dispare y
        mate al señor.

COMENDADOR

Solos
estamos; no tengas miedo.

FRONDOSO [*mostrándose al* COMENDADOR.]

825   Comendador generoso,
dejad la moza o creed
que de mi agravio y enojo
será blanco vuestro pecho,
aunque la Cruz me da asombro.

COMENDADOR

830   ¡Perro villano...!

FRONDOSO

No hay perro.
¡Huye, Laurencia!

LAURENCIA

Frondoso,
mira lo que haces.

FRONDOSO

¡Vete!

Vase.

829 *asombro:* juego de palabras entre el *blanco* (o diana) del
pecho del Comendador, al que apunta Frondoso, y la
oscuridad o *sombra* que le produce la Cruz del vestido
del señor, por el respeto que le tiene como insignia,
puesta en tan ignominiosa situación. Cfr. Cov. "Sombrío
lugar que no alcanza el sol. Asombros, asombrado, etc."
(*s.v. sombra*).
830 *No hay perro.* Frondoso no quiere darse por enterado del
insulto, y entiende que el Comendador llamó a su perro
de caza.

[ESCENA XIII]

COMENDADOR

¡Oh, mal haya el hombre loco,
que se desciñe la espada!
835   Que, de no espantar medroso
la caza, me la quité.

FRONDOSO

Pues, pardiez, señor, si toco
la nuez, que os he de apiolar.

COMENDADOR

Ya es ida. Infame, alevoso,
840   suelta la ballesta luego.
¡Suéltala, villano!

FRONDOSO

                    ¿Cómo?
Que me quitaréis la vida.
Y advertid que Amor es sordo,
y que no escucha palabras
845   el día que está en su trono.

833-834 Expresión sentenciosa, a manera del refrán "Mal
       hubiese el caballero, que sin espuelas cabalga"
       (Cov.).
   838 *nuez:* "nuez de ballesta; donde prende la cuerda y se
       encaja el virote [o flecha]" (Cov.). *apiolar.* Corominas
       (*Dicc. Crít. Etim.*) señala que ésta es la primera vez
       que encuentra la palabra en el sentido de 'matar'; es
       palabra del campo, que significa 'atar' los pies de un
       animal muerto en la caza para colgarlo de ellos.
   840 *luego:* obsérvese el claro sentido de 'inmediatamente'.
   843 Frondoso se declara enamorado, y por eso sordo, no
       desobediente al señor.

COMENDADOR

¿Pues la [espalda] ha de volver
un hombre tan valeroso
a un villano? ¡Tira, infame,
tira, y guárdate, que rompo
850 las leyes de caballero!

FRONDOSO

Eso, no. Yo me conformo
con mi estado, y, pues me es
guardar la vida forzoso,
con la ballesta me voy.

COMENDADOR

855 ¡Peligro extraño y notorio!
Mas yo tomaré venganza
del agravio y del estorbo.
¡Que no cerrara con él!
¡Vive el cielo, que me corro!

846 A y B: espada.
852 Cov. explica: "En la república hay diversos estados
[...]; unos caballeros, otros ciudadanos, unos oficiales,
otros labradores, etc. Cada uno en su estado y modo
de vivir tiene orden y límite" (*s.v. estado*). Frondoso
se vale aquí de un término del derecho y se lo aplica a
sí mismo para justificar su conducta.
858 *Cerrar:* "cerrar con el enemigo, embestir con él"
(Cov.).
859 *corro:* "Correrse vale afrentarse porque le corre la
sangre al rostro. Corrido, el confuso y afrentado"
(Cov., *s.v. correr*).

Portada facsímile de la *Chronica de las tres Ordenes y Cauallerias de Sanctiago, Calatraua y Alcantara,* fuente de la comedia de Lope. Toledo, 1572.

El hecho de
Fuenteouejuna.

Archiuo de Calatraua Cap. 22.

Estando las cosas desta Orden en el estado ya dicho, dõ Ferná Gomez de Guzman Comendador mayor de Calatraua, q̃ residia en Fuente ouejuna villa de su Encomiẽda, hizo tantos y tan grandes agrauios a los vezinos de aquel pueblo, que no podian do ya sufrirlos ni dissimularlos, determinaron todos de vn consentimiẽto y voluntad alçarse contra el y matalle. Con esta determinaciõ y furor de pueblo ayrado, con voz de Fuente ouejuna, se juntaron vna noche del mes de Abril del año de mill y quatrocientos y setenta y seys, los Alcaldes, Regidores, Iusticia y Regimiẽto, cõ los otros vezinos, y vn hõbre armado, entrarõ por fuerça en las casas de la Encomienda mayor, donde el dicho Comendador estaua. Todos ape-llidauan Fuenteouejuna, Fuenteouejuna, y dezian, Viuan los Reyes don Fernando y doña Ysabel, y mueran los traydores y malos Christianos. El Comendador mayor y los suyos quãdo vieron esto, y oyeron el apellido que lleuaua, pusieronse en vna pieça la mas fuerte dela casa, con sus armas, y alli se defendieron dos horas, sin que les pudiessen entrar. En esto tiempo el Comendador mayor a grandes vozes pidio muchas vezes a los del pueblo, le dixessen que razon o causa tenian para hazer aquel escãdaloso mouimiento, para que el diesse su descargo, y desagrauiasse a los que dezian estar agrauiados del. Nunca quisieron admitir sus razones, antes cõ grandes impetu, apellidãdo Fuenteouejuna, combatieron la pieça, y junta-

dos en ella matarõ catorze hombres que con el Comendador estauan, por que procurauan defender a su señor. Desta manera con vn furor maldito y rauioso, llegaron al Comendador, y pusieron las manos en el: y le dierõ tantas heridas, que le hizieron caer en tierra sin sentido. Antes que diesse el anima a Dios, tomaron su cuerpo con grande y regozijado alarido, diziẽdo, Viuan los Reyes y mueran los traydores: y le echaron por vna ventana a la calle: y otros que alli estauan cõ lanças y espadas, pusieron las puntas arriba, para recoger en ellas al cuerpo, q̃ aun tenia anima. Despues de caydo en tierra, le arrancaron las barbas y cabellos con grande crueldad: y otros con los pomos de las espadas le quebraron los dientes. A todo esto añadieron palabras feas y deshonestas, y grandes injurias cõtra el Comendador mayor, y contra su padre y madre. Estando en esto, antes que acabasse de espirar, acudieron las mugeres de la villa, con Panderos y Sonages, a regozijar la muerte de su señor: y auian hecho para esto vna Vandera, y nombrado Capitana y Alferaz. Tambien los mochachos a imitacion de sus madres hizieron su Capitania, y puestos en la orden q̃ su edad permitia, fueron a solenizar la dicha muerte, tanta era la enemistad que todos tenian contra el Comendador mayor. Estãdo juntos hombres, mugeres y niños lleuaron el cuerpo con grande regozijo a la plaça: y alli todos hõbres y mugeres le hizieron pedaços, arrastrandolo, y haziendo en el grandes crueldades, y escarnios, y no quisieron darle a sus criadas para enterrarle. De mas desto dieron saco mano a su casa, y le ro-baron

Nueue de pueblo ayrado.

Muerte cruel dada al Comendador mayor.

Mugeres de Fuenteouejuna.

Reproducción facsímile de una plana de la *Chronica de las tres Ordenes y Cauallerias de Sanctiago, Calatraua y Alcantara*. Toledo, 1572.

ACTO SEGUNDO

[ESCENA I]

[La plaza de Fuente Ovejuna.]

Salen ESTEBAN y REGIDOR 1.º

ESTEBAN

860   Así tenga salud, como parece,
que no se saque más agora el pósito.
El año apunta mal, y el tiempo crece,

---

860 El comienzo es una frase conversacional, cuyo sentido
sería: "¡Por mi salud, que...!"

861 Obsérvese que, en los versos pares de estas primeras
octavas, la rima es esdrújula. Esto es un juego convenido
entre Lope y los espectadores, pues la rima esdrújula se
usa en la poesía elevada. Es un aviso de que se va a tratar de asuntos serios... para la vida del pueblo, claro es,
pues los interlocutores son los que gobiernan el lugar. La
rima esdrújula obliga a una afluencia de palabras cultas
que dan empaque al comienzo del acto. La escena primera indica la desconfianza de los labradores por la
astrología, y si comienza de manera elevada, acaba en
forma risueña.

pósito: 'granero municipal donde se guardan granos,
sobre todo trigo, para prevenir los años de mala cosecha';
en el texto se sobreentiende 'el grano del pósito'.

y es mejor que el sustento esté en depósito,
aunque lo contradicen más de trece.

REGIDOR 1.º

865   Yo siempre he sido, al fin, de este propósito,
en gobernar en paz esta república.

ESTEBAN

Hagamos de ello a Fernán Gómez súplica.
    No se puede sufrir que estos astrólogos
en las cosas futuras y ignorantes,
870   nos quieran persuadir con largos prólogos
los secretos a Dios sólo importantes.
¡Bueno es que, presumiendo de teólogos,
hagan un tiempo el que después y antes!
Y pidiendo el presente lo importante,
875   al más sabio veréis más ignorante.

862 *el tiempo crece*: como en las expresiones *abrir, cerrar, crece* y *mengua* se refiere a que el tiempo va para más en la estación, que no se presenta propicia y obliga a guardar las reservas.

866 El regidor habla en términos de alto rango: el propósito de *gobernar en paz esta república* (con la palabra "república", de acentuación esdrújula) es propio de los tratados de derecho político, y esto se dice precisamente en la villa sujeta a los caprichos del Comendador. En cierto modo, predice que se ha de presentar un caso de tiranía, pecado social paralelo a la desaforada lujuria del Comendador. Véase López Estrada, "Los villanos filósofos y políticos...", pp. 530-533.

869 *y ignorantes*: conservo la conjunción en la forma *y*. El participio de presente puede tener aquí el sentido de participio pasado-adjetivo 'ignoradas' (Keniston, 38.1). Blecua propone: 'que deben ser ignoradas'. Otra solución es suprimir la *y* y sustituirla con un entrecomillado, de manera que sean los astrólogos los 'ignorantes'.

873 Se entiende, como anota A. Castro: "el que será después y fue antes".

¿Tienen ellos las nubes en su casa,
y el proceder de las celestes lumbres?
¿Por dónde ven lo que en el cielo pasa,
para darnos con ello pesadumbres?
880 Ellos en [el] sembrar nos ponen tasa:
daca el trigo, cebada y las legumbres,
calabazas, pepinos y mostazas...
¡Ellos son, a la fe, las calabazas!
Luego cuentan que muere una cabeza,
885 y después viene a ser en Trasilvania;
que el vino será poco, y la cerveza
sobrará por las partes de Alemania;
que se helará en Gascuña la cereza,
y que habrá muchos tigres en Hircania.
890 Y al cabo al cabo, se siembre o no se siembre,
el año se remata por diciembre.

880 [el] para completar el verso.
881 *daca* < da acá, acentuado *dáca*, es palabra conversacional.
Correas trae entre sus modismos: "*Daca acá. Toma allá,
vuelve acullá.* Dícese contando canseras, excusas e ino-
portunidades" (*Voc.*, p. 682).
885 *Trasilvania.* Los asuntos de la Transilvania preocupaban a
la gente de la época. En *Las dos doncellas*, de Cervantes
(*Novelas ejemplares*), un alguacil pregunta "nuevas de la
Corte y de las guerras de Flandes y bajada del Turco, no
olvidándose de los sucesos del Transilvano..." (1613,
Madrid, Castalia, 1982, III, p. 125). El transilvano era el
príncipe Zsigmond Báthory (1572-1630), envuelto en san-
grientos acontecimientos.
888 *Gascuña:* según Cov. "comprehende en sí los pueblos de
Vizcaya y parte de Navarra" (*s.v. Vascuña*). Pudiera
también referirse a los gascones del otro lado de los
Pirineos.
890 R. Froldi propone leer este verso: "Y al cabo, que se siembre o no se siembre". De esta manera se rehace el endecasílabo.
891 Los pronósticos se hacen sobre sucesos predecibles y se
acaba con una expresión sentenciosa, hecha a la manera
de refrán: "De Navidad a Navidad, sólo un año va".

[ESCENA II]

Salen el licenciado LEONELO *y* BARRILDO.

LEONELO

A fe, que no ganéis la palmatoria,
porque ya está ocupado el mentidero.

BARRILDO

¿Cómo os fue en Salamanca?

LEONELO

Es larga historia.

BARRILDO

895   Un Bártulo seréis.

LEONELO

Ni aun un barbero.
Es, como digo, cosa muy notoria
en esta facultad lo que os refiero.

892 *ganar la palmatoria*; el chico que llegaba el primero a la
escuela era el encargado de aplicar con la palmatoria (o
palmeta) los castigos dictados por el maestro: "ganaba la
palmatoria los más de los días por venir antes" (Quevedo,
Buscón, Salamanca, Universidad, 1965, p. 21).
892 Leonelo, como hombre de estudios que es, habla en una
lengua elevada y sentenciosa, en contraste con las formas rústicas a que tienden los vecinos de Fuente Obejuna.
893 *el mentidero*: 'lugar de la plaza donde se reúnen los hombres para hablar'.
895 Por la fama de Bartolo da Sassoferrato, jurisconsulto
boloñés del siglo XIV, cuyos libros eran texto de los estu-
diantes de leyes; se decía que *nemo bonus jurista, nisi bar-
tolista.*

BARRILDO

Sin duda que venís buen estudiante.

LEONELO

Saber he procurado lo importante.

BARRILDO

900   Después que vemos tanto libro impreso,
         no hay nadie que de sabio no presuma.

LEONELO

         Antes que ignoran más, siento por eso,
         por no se reducir a breve suma,
         porque la confusión, con el exceso,
905   los intentos resuelve en vana espuma;
         y aquel que de leer tiene más uso,
         de ver letreros solo está confuso.
             No niego yo que [de] imprimir el arte
         mil ingenios sacó de entre la jerga,

903 *no se reducir*, comp. 681.
907 *letrero*: "la inscripción que se ponía por memoria de algún
     lugar público o devoto" (Cov.); aquí pudiere significar
     'títulos de los libros'.
908 A y B: *del imprimir* sobra una sílaba al verso; de ahí la
     propuesta.
909 Blecua, apoyándose en Cov. ("estar una cosa en *xerga* es
     haberse empezado y no perfeccionado...") y en un párrafo
     de Cervantes del prólogo de sus *Comedias* (en donde se
     refiere a unas comedias de Antonio de Galarza "que
     agora están en *xerga*), insinúa que pueda referirse a obras
     manuscritas y en borrador. Profeti refiere el significado
     común de *xerga* como 'tela gruesa y basta' y los que las
     visten. Añado otra mención de Cervantes en la comedia
     de *Pedro de Urdemalas*: "en las chozas y en las salas /
     entre *xergas* y galas / será un nombre extendido..." (Jor-
     nada III, ed. Schevill y Bonilla, p. 216). *Xerga* (en nuestra
     edición *jerga*) puede ser la clase rústica (o sin estudios)
     que viste esta tela, a la que la lectura de los libros del

910　　　y que parece que en sagrada parte
　　　　　sus obras guarda y contra el tiempo alberga;
　　　　　éste las destribuye y las reparte.
　　　　　Débese esta invención a Gutemberga,
　　　　　un famoso tudesco de Maguncia,
915　　　en quien la fama su valor renuncia.

　　　　　　　Mas muchos que opinión tuvieron grave,
　　　　　por imprimir sus obras la perdieron;
　　　　　tras esto, con el nombre del que sabe,
　　　　　muchos sus ignorancias imprimieron.
920　　　Otros, en quien la baja envidia cabe,
　　　　　sus locos desatinos escribieron,
　　　　　y con nombre de aquel que aborrecían,
　　　　　impresos por el mundo los envían.

---

　　　　　nuevo arte de la imprenta permitió que afinasen y
　　　　　luciesen sus ingenios.
910　Es plausible la interpretación de McGrady de que
　　　　sagrada parte sea 'la biblioteca', contando con que
　　　　biblos significa en su etimología *volumen, libellus*
　　　　(Cov., *s.v. Biblia*) en general, y la Biblia sea el
　　　　"sagrado volumen en el cual se contienen el viejo y el
　　　　nuevo Testamento"; y que juntando las dos acepcio-
　　　　nes se formase *sagrada parte.*
913　En B: *Gutemberga.* Castellanización de Gutenberg.
915　La fama, que hasta entonces prefería la divulgación
　　　　por la vía oral (la *fama* es "todo aquello que de alguno
　　　　se divulga" (Cov.) renuncia (*renunciar* es "apartarse
　　　　del derecho que puede tener alguno a cierta cosa",
　　　　íd.) su valor (aquello por lo que ella vale) en el arte de
　　　　la imprenta. Esto es, es una nueva vía para la divulga-
　　　　ción de alabanzas y vituperios, como Lope bien sabe
　　　　por experiencia.
916-923　Lope se queja en esta octava una vez más de los cui-
　　　　dados que le trajo el arte de la imprenta; de esto trató
　　　　en los prólogos de sus *Partes*, sobre todo de la corrup-
　　　　ción de sus obras "escritas con otros versos y por
　　　　autores, no conocidos, no ya solo de las musas, pero
　　　　ni de las tierras en que nacen" (XV Parte, 1621).

BARRILDO

No soy de esa opinión.

LEONELO

El ignorante
925   es justo que se vengue del letrado.

BARRILDO

Leonelo, la impresión es importante.

LEONELO

Sin ella muchos siglos se han pasado,
y no vemos que en este se levante
un Jerónimo santo, un Agustino.

BARRILDO

930   Dejadlo y asentaos, que estáis mohíno.

[ESCENA III]

Sale JUAN ROJO *y otro* LABRADOR.

JUAN ROJO

No hay en cuatro haciendas para un dote,

924-925 Dixon interpreta como una interrogación lo que dice
        Leonelo.
    929 B: *Augustino*; refiérese a San Agustín.
928-929 A y B: Falta un verso entre los dos para completar la
        octava, sin que parezca cortarse el sentido.
    930 B: *dejaldo*.
    930 *mohíno*: "amohinarse, tomar cólera e hinchársele las
        narices: y así *mohíno*" (Cov., *s.v. amohinarse*).
    931 Blecua propone corregir *en[tre]*; creo que lo que dice
        Juan Rojo se entiende en un curso conversacional, y

si es que las vistas han de ser al uso;
que el hombre que es curioso es bien que note
que en esto el barrio y vulgo anda confuso.

LABRADOR

935   ¿Qué hay del Comendador? ¡No os alborote!

JUAN ROJO

¡Cuál a Laurencia en este campo puso!

---

para regularizar el endecasílabo puede considerarse
que hay aspiración en *haciendas.*

932 *las vistas*: "ir a vistas es propio de los que tratan casamiento, para que el uno se satisfaga del otro" (Cov.).
Juan Rojo es tío de Laurencia y el que está tratando
de las bodas de su sobrina Laurencia y Frondoso (v.
772). Por eso le preocupan los gastos del festejo que
ha de celebrarse.

934 *barrio y vulgo*: Cov. indica que *barrio* en principio "vale
tanto *barrio* como casa de campo"; después se juntaron
los barrios y se llamaron vecindad (*s.v. barrio*). *Vulgo*
"la gente ordinaria del pueblo" (*s.v. vulgo*). En el sentido de 'toda la gente', los de la villa y los de los alre-
dedores de ella. Se supone que se refiere a las bodas
de Laurencia y Frondoso (v. 771).

935 *¡No os alborote!*: como notó F. Ruiz Ramón (ed. 1991,
pág. 44), estas palabras se dirigen a Juan Rojo, el cual,
al oír nombrar al Comendador, gesticula con violencia. Propiamente, éste es el primer síntoma de la tragedia que se avecina, y es un *labrador* (uno cualquiera
del pueblo, anónimo) el que orienta el caso con el uso
de los términos que emplea poco después y que des-
criben al Comendador en su aspecto social (*bárbaro*)
y el moral (*lascivo*, 936).

935-937 Obsérvese la anáfora de pronombres distintos: *qué,
cuál, quién*, del tipo de la *disiunctio.*

936 El labrador usa los términos *bárbaro* y *lascivo*, de
relieve culto. *Bárbaro*, según Cov., se aplica a los
extranjeros que se encuentran en un lugar culto, como
era el de Grecia o Roma; y también a los que "no

LABRADOR

¿Quién fue cual él tan bárbaro y lascivo?
Colgado le vea yo de aquel olivo.

[ESCENA IV]

Salen el COMENDADOR, ORTUÑO *y* FLORES.

COMENDADOR

¡Dios guarde la buena gente!

REGIDOR

940   ¡Oh, señor!

COMENDADOR

¡Por vida mía,
que se estén!

[¿ALONSO?] ALCALDE

Vusiñoría,
a donde suele se siente,
que en pie estaremos muy bien.

---

admiten la comunicación de los demás hombres de razón,
que viven sin ella, llevados de sus apetitos, y finalmente a
los que son despiadados y crueles" (*s.v. bárbaro*). De *las-
civia* Cov. dice que "no es muy usado este término en lengua española; vale *lujuria* [...]. Lascivo, el que está afecto
de tal pasión o es incitamiento de ella" (*s.v. lujuria*). La
elevación de estos términos contrasta con el deseo
siguiente, propio de un hombre del campo.
939 McGrady propone que el Comendador haya aparecido en
la escena sin que se dieran cuenta los del "mentidero".
Por tanto, sus palabras han de entenderse como irónicas,
de doble sentido.
942 *vusiñoría*. Reducción de *vuesa* (por vuestra) y *señoría*.
943 Lo que se dice implica un movimiento escénico. Los del

LOPE DE VEGA

COMENDADOR

¡Digo que se han de sentar!

ESTEBAN

945 De los buenos es honrar,
que no es posible que den
honra los que no la tienen.

COMENDADOR

Siéntense; hablaremos algo.

ESTEBAN

¿Vio vusiñoría el galgo?

COMENDADOR

950 Alcalde, espantados vienen
esos criados de ver
tan notable ligereza.

---

mentidero, que estaban sentados, se ponen todos en
pie al percibir al Comendador, que quiere honrar a su
manera a los de Fuente Obejuna; y éstos quieren per-
manecer distantes para así guardar las diferencias
sociales. Al fin se sientan todos, y siguen así hasta el
verso 1009.

945 Esteban implica ahora un término que ha de ser clave
en la obra: el *honrar*, la honra, cuya variedad de significados ha de hallarse presente en el juego dialéc-
tico que se entabla entre los representantes de la
comunidad y el Comendador.

949 ¿De qué iban a hablar los labradores de la villa y su
señor sino de caza, que es el tema más socorrido entre
la gente de campo y la nobleza? La caza sirve para
organizar la trama de los dobles significados sobre los
que corre la conversación.

950-963 Sobre la relación de este concepto metafórico de la
persecución propia de la caza y el seguimiento de la
mujer para el logro del amor carnal, véase Raymond

ESTEBAN

Es una extremada pieza.
Pardiez, que puede correr
955   a un lado de un delincuente
o de un cobarde en quistión.

COMENDADOR

Quisiera en esta ocasión
que le hiciérades pariente
a una liebre que por pies
960 por momentos se me va.

ESTEBAN

Sí haré, par Dios. ¿Dónde está?

COMENDADOR

Allá; vuestra hija es.

ESTEBAN

¿Mi hija?

COMENDADOR

Sí.

E. Barbera, "An Instance of Medieval Iconography" in
"*Fuenteovejuna*", *Romance Notes*, X, 1968, pp. 160-162.
956 *en quistión*: Cov. dice: "Vale pregunta [...]; en vulgar suele
significar pendencia" (*s.v. qüestión*), que conviene aquí.
958 *hiciérades pariente*: la expresión es premeditadamente
confusa. El Comendador pide que emparienten o empa-
rejen el galgo corredor con la liebre que a él quiere esca-
pársele. El lenguaje resulta aquí de un fondo erótico
manifiesto, y lo es ya declaradamente cuando el Comendador identifica la liebre con la hija de Esteban.
961 *par Dios*: usado sólo en fórmulas de juramento, que da
lugar el eufemismo *pardiez*; véase Keniston, 41.32 y 43.34.
También en el v. 217.

ESTEBAN

Pues ¿es buena
para alcanzada de vos?

COMENDADOR

965 Reñilda, alcalde, por Dios.

ESTEBAN

¿Cómo?

COMENDADOR

Ha dado en darme pena.
Mujer hay, y principal,
de alguno que está en la plaza,
que dio, a la primera traza,
970 traza de verme.

ESTEBAN

Hizo mal.
Y vos, señor, no andáis bien
en hablar tan libremente.

968 *alguno que está en la plaza*: contando con que *plaza*
significa "lugar ancho y espacioso dentro del poblado,
lugar público..." (Cov. *s.v. plaça*), allí es donde ocurre
la escena (pues basta la palabra para que se sugiera la
condición del escenario). Por tanto, el Comendador
quiere referirse a alguno de los que le oyen en la reunión. La duda que implica la insinuación es un desdo-
ro para el pueblo entero.
969-970 La cercanía de las mismas palabras: *traza* ('rasgo en el
dibujo, intento', aquí insinuación) y *traza* ('arreglarse
con maña para hacer algo') no resulta ciertamente
afortunada.
972 *hablar tan libremente*: indica F. Weber ("La expresión
de la erótica...", p. 680) que Esteban censura la libertad del habla del Comendador, que ha prescindido del
eufemismo de las imágenes de la caza y expresa su
deseo en un lenguaje directo y sin velos.

COMENDADOR

¡Oh, qué villano elocuente!
¡Ah, Flores!, haz que le den
975   la *Política,* en que lea,
de Aristóteles.

ESTEBAN

Señor,
debajo de vuestro honor
vivir el pueblo desea.
Mirad, que en Fuente Ovejuna
980   hay gente muy principal.

LEONELO

¿Viose desvergüenza igual?

COMENDADOR

Pues ¿he dicho cosa alguna
de que os pese, Regidor?

---

975 No se olvide que antes los labradores dieron indicios de
conocer las teorías de la filosofía del amor. Sin darse
cuenta, el mismo Comendador abre la vía de la interpretación social de la obra y prepara su propia destrucción.
La traducción más accesible de la obra era la de Pedro
Simón Abril *Los ocho libros de república del filósofo Aristóteles,* Zaragoza, 1584. (Véase Salomon, *Lo villano en el
teatro...,* p. 215, nota 21.)

981 Lo que dice Leonelo resulta confuso. Si se refiere a lo que
acaba de decir Esteban (como propone McGrady), apoya
al Comendador, y con esto corrobora la idea que él
mismo expuso de que la imprenta es un factor negativo
para la sociedad. Si es un comentario aparte (para sí) de
lo que está oyendo, entonces se asombra de lo que propone el señor en cuanto al trato con las mujeres. Por esto,
y porque enseguida el Comendador se refiere a un Regidor (v. 983), Dixon cree verosímil que quien lo diga sea
alguno de ellos.

REGIDOR

Lo que decís es injusto;
985   no lo digáis, que no es justo
que nos quitéis el honor.

COMENDADOR

¿Vosotros honor tenéis?
¡Qué freiles de Calatrava!

REGIDOR

Alguno acaso se alaba
990   de la Cruz que le ponéis,
que no es de sangre tan limpia.

COMENDADOR

¿Y ensúciola yo juntando
la mía a la vuestra?

REGIDOR

Cuando
que el mal más tiñe que alimpia.

986 *honor*: otra vez el término aparece en la variedad de
sus significaciones, según se trate del honor del linaje
y propio de la nobleza o del honor de la virtud personal. Véase López Estrada, "Los villanos filósofos y
políticos...", pp. 529-530.
989-992 La expresión me parece deliberadamente confusa;
pudiera interpretarse: Alguno (que no es de sangre
tan limpia como la nuestra, la de los labradores, de los
que el Regidor es voz) acaso se alabe de la cruz [eufe-
mismo] que le ponéis con las relaciones con su mujer.
O bien, que la alabanza sea ironía pues la cruz (o sea
el Comendador) no es de sangre limpia en su linaje.
994 *cuando que:* por 'puesto que'.
el mal más tiñe que alimpia: expresión proverbial
que enlaza con los muchos refranes y proverbios que
hay sobre los daños de la maldad. La *a-* protética es
signo del lenguaje conversacional y de matiz rústico.

COMENDADOR

995   De cualquier suerte que sea,
vuestras mujeres se honran.

[ALONSO] ALCALDE

¡Esas palabras [deshonran]
las obras! ¡No hay quien las crea...!

COMENDADOR

    ¡Qué cansado villanaje!
1000   ¡Ah! Bien hayan las ciudades,
que a hombres de calidades
no hay quien sus gustos ataje;
    allá se precian casados
que visiten sus mujeres.

ESTEBAN

1005   No harán, que con esto quieres
que vivamos descuidados.
    En las ciudades hay Dios,
y más presto quien castiga.

COMENDADOR

¡Levantaos de aquí!

997-998 Los textos A y B traen una lección confusa: "Esas
palabras les honran / las obras no hay quien las crea".
La corrección *deshonran* es aceptable. Propongo esta
interpretación: el Alcalde aún cree en las *buenas*
obras del Comendador y se admira de las palabras
injuriosas. Blecua prefiere conservar la lección de las
impresiones.

1009 La orden imperativa del Comendador deshace la reunión en la que todos estaban sentados (v. 943) por
indicación de él mismo. Esto trae un movimiento en la
escena de los vecinos de Fuente Obejuna que, amena-
zados incluso físicamente, acaban por dejar solos al
señor y sus criados.

[ALONSO] ALCALDE

                    ¡Que diga
1010   lo que escucháis por los dos!

COMENDADOR

¡Salí de la plaza luego!
No quede ninguno aquí.

ESTEBAN

Ya nos vamos.

COMENDADOR [*Acercándose con violencia a ellos.*]

                    ¡Pues no ansí...!

FLORES

Que te reportes te ruego.

COMENDADOR

1015   ¡Querrían hacer corrillo
los villanos en mi ausencia...!

ORTUÑO

Ten un poco de paciencia.

COMENDADOR

De tanta me maravillo.
Cada uno de por sí
1020   se vayan hasta sus casas.

1010 *los dos*: ambos alcaldes, Alonso y Esteban.
1015 *corrillo*: "la junta que se hace de pocos, pero para cosas
      perjudiciales, en estos se hallan los murmuradores, los
      maldicientes, los cizañosos..." (Cov.).

LEONELO

¡Cielo, que por esto pasas...!

ESTEBAN

Ya yo me voy por aquí.

[ESCENA V]

Vanse [los labradores, y quedan solos el COMENDADOR
y sus criados].

COMENDADOR

¿Qué os parece de esta gente?

ORTUÑO

No sabes disimular
1025   que no [quieres] escuchar
el disgusto que se siente.

COMENDADOR

¿Estos se igualan conmigo?

FLORES

Que no es aqueso igualarse.

COMENDADOR

Y el villano... ¿ha de quedarse
1030   con ballesta y sin castigo?

1021 B: *Cielos.* En el texto como en A. Otra vez la leve intervención de Leonelo es equívoca. Puede entenderse como
solidaridad con el Comendador (McGrady) o como un
comentario a la falta de moralidad de éste. Leonelo sale
con el grupo de los labradores, y si se admite el segundo
sentido, tendría que entenderse esto como un aparte.
1025 A y B: *quieren.*

FLORES

Anoche pensé que estaba
a la puerta de Laurencia;
y a otro, que su presencia
y su capilla imitaba,
1035   de oreja a oreja le di
un beneficio famoso.

COMENDADOR

¿Dónde estará aquel Frondoso?

FLORES

Dicen que anda por ahí.

COMENDADOR

¿Por ahí se atreve a andar
1040   hombre que matarme quiso?

FLORES

Como el ave sin aviso
o como el pez, viene a dar
al reclamo o al anzuelo.

COMENDADOR

¡Que a un capitán cuya espada
1045   tiemblan Córdoba y Granada,

1034 *capilla*: capucha unida al hábito de los religiosos y a las
capas de los civiles. Cov. trae: "Algunas capas de seglares traen capillas, aunque diferentes de las de los religiosos" (*s. v. capilla*); aquí es la de los aldeanos.
　　　Imitaba: es forma culta por 'remedar, asemejar'.
1036 *beneficio*: "En sentido jocoso, cuchillada en el rostro"
(J. L. Alonso, *Marginalismo*, p. 108).
1045 *Córdoba*, la ciudad más importante de las cercanías, por
cuanto Fernán Gómez tenía a Fuente Obejuna, que
antes había sido villa cordobesa; y Granada, los moros:
es decir, moros y cristianos.

un labrador, un mozuelo,
    ¡ponga una ballesta al pecho!
El mundo se acaba, Flores.

FLORES

Como eso pueden amores...
1050   Y pues que vives, sospecho
    que grande amistad le debes.

COMENDADOR

Yo he disimulado, Ortuño,
que si no, de punta a puño,
antes de dos horas breves
1055   pasara todo el lugar;
que hasta que llegue ocasión
al freno de la razón
hago la venganza estar.
    ¿Qué hay de Pascuala?

FLORES

                            Responde
1060   que anda agora por casarse.

1048 *El mundo se acaba*: el de los privilegios y demasías de los
      poderosos como el Comendador. Lope enuncia así lo
      que quería que se considerase como el comienzo de una
      política nueva, la de los Reyes Católicos. De ahí la res-
      puesta de Flores, que desvía el caso hacia que amor lo
      puede todo (tópico pastoril), y aun nota la bondad del
      aldeano al no matarlo.
1049 Desde Hartzenbusch algunos editores proponen que los
      versos 1050-1051 los diga Ortuño. En el texto, como en
      A y B.
1053 *de punta a puño*: [de la espada], como propone
      McGrady; es decir, enteramente, sin dejar a nadie vivo.
1059 Recuérdese que Pascuala fue la que al principio de la
      comedia (vv. 174-203) habló con Laurencia sobre el
      Comendador y sus amoríos.

COMENDADOR

Hasta allá quiere fiarse...

FLORES

En fin, te remite donde
te pagarán de contado.

COMENDADOR

¿Qué hay de Olalla?

ORTUÑO

Una graciosa
1065   respuesta.

COMENDADOR

Es moza briosa.
¿Cómo?

ORTUÑO

Que su desposado
anda tras ella estos días
celoso de mis recados,
y de que con tus criados
1070   a visitalla venías.
¡Pero que, si se descuida,
entrarás como primero...!

1063 *pagar de contado*: era frase formularia en el lenguaje
comercial, y hoy se dice *al contado*, o sea 'inmediatamente'. Obsérvese que el Comendador se refirió a *fiarse*,
palabra también de los tratos, que aplica a los tenidos
con las mujeres.
1071 ¡*Pero que*...!: expresión ponderativa del criado para con-
graciarse con el señor.
1074 *cuidar*: "Pensar, advertir" (Cov.).

COMENDADOR

¡Bueno, a fe de caballero!
Pero el villanejo cuida...

ORTUÑO

1075   Cuida, y anda por los aires.

COMENDADOR

¿Qué hay de Inés?

FLORES

¿Cuál?

COMENDADOR

La de Antón.

FLORES

Para cualquier ocasión
te ha ofrecido sus donaires.
    Habléla por el corral,
1080   por donde has de entrar si quieres.

COMENDADOR

A las fáciles mujeres
quiero bien y pago mal.
    Si estas supiesen, oh Flores,
estimarse en lo que valen...

1075 *anda por los aires*: es un de los numerosos modismos
    establecido sobre el verbo *andar*. Puede que signifique
    'sospecha, pero no sabe de qué va', como "andar por las
    ramas"; o que intensifique el *cuida*: 'vigila con atención'.
1076 Obsérvese que la serie de nombres: Pascuala, Olalla,
    Inés, la de Antón, pertenecen a la onomástica del teatro
    rústico pastoril, en contraste con Laurencia, cuyo nom-
    bre se comentó en la nota del v. 173.

FLORES

1085   No hay disgustos que se igualen
        a contrastar sus favores.
            Rendirse presto desdice
        de la esperanza del bien;
        mas hay mujeres también,
1090   [y] el filósofo [lo] dice,
            que apetecen a los hombres
        como la forma desea
        la materia; y que esto sea
        así, no hay de que te asombres.

1086   *contrastar*: en el sentido de 'aquilatar', como indica Cov.,
        referente al contraste, que sirve para asegurar la calidad
        "así en peso como en quilates" (*s.v. contrastar*). Es decir,
        que el Comendador aprecia a las que se estiman a sí mis-
        mas; los *disgustos* (o contrariedades en el amor) sirven
        para apreciar en más los favores. El enunciado es otra
        contradicción de la personalidad del Comendador.
1090   *el filósofo*: por excelencia, o sea Aristóteles. Probable-
        mente (como indica H. Hoock, *Lope*, 205) Lope tomó
        esto de la *Celestina* (auto I, diálogo de Calisto y Sempro-
        nio, ed. Castalia, p. 232): dijo Sempronio que Calisto por
        ser hombre era más digno y preguntado por qué: "En
        que ella [la mujer] es imperfecta, por el cual defecto
        desea y apetece a ti [...] ¿No has leído el filósofo do dice:
        así como la materia apetece a la forma, así la mujer al
        varón?". Esto procede (F. Castro Guisasola, *Fuentes lite-
        rarias de la Celestina*, Madrid, Centro de Estudios Histó-
        ricos, 1924, 25) de la *Física*, Libro I, cap. IX: "Materia
        appetit forma rerum ut femina virum, turpe honestum".
        Sobre el uso de esta cita en Lope, véase Peter N. Dunn,
        "Materia la mujer, el hombre forma: Notes on the Deve-
        lopment of a Lopean *Topos*", *Homenaje a W. L. Fichter*,
        Madrid, Castalia. 1971, pp. 189-199. Obsérvese que Flores
        invierte los términos: la forma apetece la materia, al revés
        de las citas anteriores; y esto puede ser un motivo cómico.
        A y B: *porque el filósofo dice*. Blecua propone dejar el
        texto como en A y en B, y entender el *que* por *quienes*.
        La corrección es para encajar mejor la continuidad del

COMENDADOR

1095   Un hombre de amores loco
       huélgase que a su accidente
       se le rindan fácilmente,
       mas después las tiene un poco;
       y el camino de olvidar,
1100   al hombre más obligado,
       es haber poco costado
       lo que pudo desear.

[ESCENA VI]

Sale CIMBRANOS, *soldado.*

[CIMBRANOS] SOLDADO

¿Está aquí el Comendador?

ORTUÑO

¿No le ves en tu presencia?

[CIMBRANOS] SOLDADO

1105   ¡Oh, gallardo Fernán Gómez!
       Trueca la verde montera

---

       sentido, que se pudiera interpretar en los textos A y B
       como un paréntesis, lección también válida.
1096   *accidente* (así en A; *acidente* en B): es término de la filo-
       sofía ("muy usado por los dialécticos", Cov., *s.v. aci-
       dente*). Cov. añade: "Decimos comúnmente el accidente
       de la calentura y otra cualquier indisposición que de
       repente sobreviene al hombre". Aquí en este caso lo es
       de la enfermedad de amor, un arrebato carnal. Véase un
       estudio del término en F. Weber ("La expresión de la
       erótica...", pp. 681-683).
1103   Lope cambia la andadura métrica de las redondillas, propia
       para la conversación sobre los amores del Comendador,

en el blanco morrión,
y el gabán en armas nuevas;
que el Maestre de Santiago
1110   y el Conde de Cabra cercan
a don Rodrigo Girón,
por la castellana Reina,
en Ciudad Real; de suerte
que no es mucho que se pierda
1115   lo que en Calatrava sabes
que tanta sangre le cuesta.
Ya divisan con las luces,
desde las altas almenas,
los castillos y leones
1120   y barras aragonesas.
Y aunque el Rey de Portugal
honrar a Girón quisiera,
no hará poco en que el Maestre
a Almagro con vida vuelva.
1125   Ponte a caballo, señor,
que sólo con que te vean,
se volverán a Castilla.

COMENDADOR

No prosigas; tente, espera.
Haz, Ortuño, que en la plaza

---

por el romance de resonancias épicas. Contando con
quien se va a enfrentar (de los ejércitos reales se menciona la altura de los pendones que representan la unidad de Isabel y Fernando), el Comendador reacciona
con valentía un tanto desesperada, como conviene con su
condición colérica.
1107   La montera es "la cobertura de cabeza que usan los mon-
teros, y a su imitación, los demás de la ciudad" (Cov., *s.v.*
montera). Esto es, le pide que cambie el sombrero civil
de la caza y la ciudad por el de la guerra. Recuérdese que
en el verso 494 se indicó que el morrión del Comendador
iba adornado con blancas plumas.

1130   toquen luego una trompeta.
          ¿Qué soldados tengo aquí?

ORTUÑO

Pienso que tienes cincuenta.

COMENDADOR

Pónganse a caballo todos.

[CIMBRANOS] SOLDADO

    Si no caminas apriesa,
1135   Ciudad Real es el Rey.

COMENDADOR

No hayas miedo que lo sea.

[*Se van todos y queda sola la escena.*]

[ESCENA VII]

[*Campo en las cercanías de Fuente Ovejuna.*]

Salen MENGO *y* LAURENCIA *y* PASCUALA, *huyendo.*

PASCUALA

No te apartes de nosotras.

MENGO

Pues, ¿aquí tenéis temor?

LAURENCIA

    Mengo, a la villa es mejor
1140   que vamos unas con otras,

1140 *Vamos* por 'vayamos'; ambas formas eran usadas.

pues que no hay hombre ninguno,
porque no demos con él.

MENGO

¡Que este demonio cruel
nos sea tan importuno!

LAURENCIA

1145 ¡No nos deja a sol ni a sombra!

MENGO

¡Oh, rayo del cielo baje
que sus locuras ataje!

LAURENCIA

¡Sangrienta fiera le nombra,
arsénico y pestilencia
1150 del lugar!

MENGO

Hanme contado
que Frondoso, aquí, en el prado,
para librarte, Laurencia,
le puso al pecho una jara.

LAURENCIA

Los hombres aborrecía,
1155 Mengo, mas desde aquel día
los miro con otra cara.
¡Gran valor tuvo Frondoso!
Pienso que le ha de costar
la vida.

1148 entiéndase: *nómbrale tú* (comp. con los usos del infinitivo 681, 903).
1153 *jara:* "es una especie de saeta que se tira con la ballesta" (Cov.).

MENGO

Que del lugar
1160   se vaya, será forzoso.

LAURENCIA

Aunque ya le quiero bien,
eso mismo le aconsejo;
más recibe mi consejo
con ira, rabia y desdén.
1165   ¡Y jura el Comendador
que le ha de colgar de un pie!

PASCUALA

¡Mal garrotillo le dé!

MENGO

Mala pedrada es mejor.
     ¡Voto al sol, si le tirara
1170   con la que llevo al apero,
que al sonar el crujidero,
al casco se la encajara!
     No fue Sábalo, el romano,
tan vicioso por jamás.

1167 *garrotillo*: nombre vulgar de la enfermedad de la difteria,
       entonces temida.
1169 *Voto al sol,* véanse 187 y 1214.
1170 Se sobreentiende *la honda. apero*: "El aparejo [...] de lo
       que se previene para poder estar en el campo" (Cov.).
1171 *crujidero:* A. Alcalá (*Vocabulario andaluz,* Andújar,
       1933, página 119) recoge *crujidor:* "Látigo de esparto, sin
       mango, que sirve también de honda..."
1172 *casco*: "Significa algunas veces el hueso de la cabeza, que
       encierra dentro de sí el cerebro" (Cov.). O sea, que lo
       descalabrara.
1173 *Sábalo*: Mengo, como labrador rústico, cita un *Sábalo el
       romano*, en vez de Heliogábalo, como rectifica Lauren-
       cia, que en esto se muestra como labradora letrada al

LAURENCIA

1175   Heliogábalo dirás,
       más que una fiera, inhumano.

MENGO

       Pero Galván (o quien fue,
       que yo no entiendo de historia)
       más su cativa memoria
1180   vencida de este se ve.
           ¿Hay hombre en naturaleza
       como Fernán Gómez?

PASCUALA

                                No,
       que parece que le dio
       de una tigre la aspereza.

---

conocer el verdadero nombre del ejemplo de viciosos. La
asociación de Mengo se establece probablemente con el
pez llamado *sábalo*, uno de los citados por Juan Ruiz
(*Libro de Buen Amor*, 1114a); se encuentra en los ríos y
es, por tanto, conocido de la gente del campo. La confusión tiene un evidente sentido cómico. Obsérvese que
luego no está seguro del nombre *Galván*.

1177 *Galván:* es probable que se refiera a algunos romances
de Moriana y Galván, de lejano origen carolingio, en que
el *moro Galván* raptó a Moriana y la tiene en el palacio;
como ella le diga que vio a su esposo, el moro la maltrata
a bofetadas y la manda matar ("Moriana en un castillo...", véase M. Menéndez Pelayo, *Ant. poetas líricos*, ed.
O. C., VIII, núm. 121). Los romances son varios, y se
mezclan con otros de *don Galván*.

1179 *cativa memoria*: la forma *cativo* (de *cautivo*) aparece en
textos del siglo XVI en una variada significación: la general es 'preso', y otras como 'infeliz, desdichado', hasta el
sentido negativo de 'miserable, malvado, malo', que es el
usado aquí (véase Corominas).

[ESCENA VIII]

Sale JACINTA.

JACINTA

1185   ¡Dadme socorro, por Dios,
si la amistad os obliga!

LAURENCIA

¿Qué es esto, Jacinta amiga?

PASCUALA

Tuyas lo somos las dos.

JACINTA

    Del Comendador criados
1190   que van a Ciudad Real,
más de infamia natural
que de noble acero armados,
    me quieren llevar a él.

LAURENCIA

Pues, Jacinta, Dios te libre,
1195   que cuando contigo es libre,
conmigo será cruel.

                 Vase.

PASCUALA

    Jacinta, yo no soy hombre
que te puedo defender.

                 Vase.

1194-1195 *libre-libre*: obsérvese la reiteración de las dos palabras iguales: *libre* (del verbo *librar* y el adjetivo
libre), indicio de recurso de rima pobre, que señala
descuido y prisas.

MENGO

Yo sí lo tengo que ser,
1200   porque tengo el ser y el nombre.
       Llégate, Jacinta, a mí.

JACINTA

¿Tienes armas?

MENGO

                Las primeras
del mundo.

JACINTA

            ¡Oh, si las tuvieras!

MENGO

Piedras hay, Jacinta, aquí.

[ESCENA IX]

Salen FLORES *y* ORTUÑO.

FLORES

1205   ¿Por los pies pensabas irte?

JACINTA

Mengo, ¡muerta soy!

MENGO

                    Señores,
¿a estos pobres labradores...?

ORTUÑO

Pues, ¿tú quieres persuadirte
a defender la mujer?

MENGO

1210   Con los ruegos la defiendo,
que soy su deudo y pretendo
guardalla, si puede ser.

FLORES

Quitalde luego la vida.

MENGO

¡Voto al sol, si me emberrincho,
1215   y el cáñamo me descincho,
que la llevéis bien vendida!

[ESCENA X]

Salen el COMENDADOR *y* CIMBRANOS.

COMENDADOR

¿Qué es eso? ¿A cosas tan viles
me habéis de hacer apear?

1214 Véanse 187 y 1169.
1215 *cáñamo*, de la honda.
       descincho: Mengo mezcla los verbos *desceñir* ("Quitar
       el cinto", Cov., *s.v. ceñir*), el cinto de cáñamo que él lle-
       vaba ceñido, y *descinchar* (*cinchar* "echar la cincha", o
       sea "el listón ancho de cáñamo, lana o esparto con que se
       aprieta o asegura la silla o la albarda...", Cov., *s.v. cin-
       cha*). El resultado es un efecto cómico.
1216 *la* puede referirse a la pedrada que les espera, *bien ven-
       dida*, es decir, 'bien pesada, abundante'. McGrady lo
       cree enfático, femenino neutro familiar. Mengo se vale

FLORES

Gente de este vil lugar,
1220 que ya es razón que aniquiles,
        pues en nada te da gusto,
a nuestras armas se atreve.

MENGO

Señor, si piedad os mueve
de soceso tan injusto,
1225   castigad estos soldados,
que con vuestro nombre agora
roban una labradora
[a] esposo y padres honrados;
        y dadme licencia a mí
1230 que se la pueda llevar.

COMENDADOR

Licencia les quiero dar...
para vengarse de ti.
        ¡Suelta la honda!

MENGO

        ¡Señor!

COMENDADOR

Flores, Ortuño, Cimbranos,
1235 con ella le atad las manos.

---

una vez más de la lengua popular, como lo muestra el uso
de *emberrincho* ('enojarse con violencia'), voz vulgar y
campesina, uno de cuyos primeros testimonios escritos
es éste (Cov., *s.v. berrinche*).
1224 *soceso* forma vulgarizada de *suceso* 'sucedido'.
1228 [a] falta; obsérvese que falta después de *-a* y ante *e-*
(comp. 637 y 2176).
1235 El pronombre átono precede al verbo en imperativo.
Comp. 1148, y con infinitivos 681, 903.

MENGO

¿Así volvéis por su honor?

COMENDADOR

¿Qué piensan Fuente Ovejuna
y sus villanos de mí?

MENGO

Señor, ¿en qué os ofendí,
1240 ni el pueblo, en cosa ninguna?

FLORES

¿Ha de morir?

COMENDADOR

No ensuciéis
las armas que habéis de honrar
en otro mejor lugar.

ORTUÑO

¿Qué mandas?

COMENDADOR

Que lo azotéis.
1245 Llevalde, y en ese roble
le atad y le desnudad,
y con las riendas...

MENGO

¡Piedad,
piedad, pues sois hombre noble!

COMENDADOR

...azotalde hasta que salten
1250 los hierros de las correas.

1250 Las hebillas son "el hierro que prende la correa" (Cov.,
s.v. hevilla), en este caso usadas como riendas (v. 1247).

MENGO

¡Cielos! ¿A hazañas tan feas
queréis que castigos falten?

Vanse.

[ESCENA XI]

COMENDADOR

Tú, villana, ¿por qué huyes?
¿Es mejor un labrador
1255   que un hombre de mi valor?

JACINTA

¡Harto bien me restituyes
   el honor que me han quitado
en llevarme para ti!

COMENDADOR

¿En quererte llevar?

JACINTA

Sí,
1260   porque tengo un padre honrado,
   que si en alto nacimiento
no te iguala, en las costumbres
te vence.

COMENDADOR

Las pesadumbres
y el villano atrevimiento

1260 La *honra* vuelve a ser objeto de interpretación, según
provenga de la sangre o de la virtud (*alto nacimiento-cos-
tumbre*).

1265   no tiemplan bien un airado.
¡Tira por ahí!

JACINTA

¿Con quién?

COMENDADOR

Conmigo.

JACINTA

Míralo bien.

COMENDADOR

Para tu mal lo he mirado.
Ya no mía, del bagaje
1270   del ejército has de ser.

JACINTA

No tiene el mundo poder
para hacerme, viva, ultraje.

COMENDADOR

Ea, villana, camina.

JACINTA

¡Piedad, señor!

COMENDADOR

No hay piedad.

1266 *¡tira por ahí!*: F. Weber ("La expresión de la erótica...",
p. 683) indica que *tirar* es aquí 'apartarse para el retozo
sexual', testimonio de la violencia del Comendador, que
alcanza a los mismos términos de su expresión.
1269 *bagaje*: "Vocablo castrense, significa todo aquello que es
necesario para el servicio del ejército, así de ropas como
de vituallas, armas excusadas y máquinas" (Cov.).

JACINTA

1275   ¡Apelo de tu crueldad
        a la justicia divina!

Llévanla y vanse, y salen LAURENCIA y FRONDOSO.

[ESCENA XII]

[*Lugar de Fuente Ovejuna.*]

LAURENCIA

        ¿Cómo así a venir te atreves,
    sin temer tu daño?

FRONDOSO

                Ha sido
        dar testimonio cumplido
1280   de la afición que me debes.
            Desde aquel recuesto vi
        salir al Comendador,
        y, fiado en tu valor.
        todo mi temor perdí.

1275 Los *castigos* que anunció Mengo (1252) y la *justicia
    divina* pedida por Jacinta han crecido la tensión de la
    obra, anunciando la tragedia venidera y ya cercana; a tra-
    vés de estas apelaciones a Dios, la muerte del Comenda-
    dor se preanuncia como justicia divina. En contraste con
    esta violencia, sigue una escena de amor, el sí de Lau-
    rencia. Esto es un procedimiento común en Lope en su
    gusto por los contrastes con los que sostiene la atención
    del público en el desarrollo del argumento teatral.
1283 *valor*: es cualidad que se aplica a las mujeres esforzadas,
    como Cervantes en *La ilustre fregona,* quien dice de la
    madre de Constanza que los dejó admirados "de su dis-
    creción, *valor,* hermosura y recato" (*Novelas ejemplares*,
    ed. Castalia, III, p. 108).

1285   ¡Vaya donde no le vean
volver!

LAURENCIA

    Tente en maldecir,
porque suele más vivir
al que la muerte desean.

FRONDOSO

    Si es eso, viva mil años,
1290 y así se hará todo bien,
pues deseándole bien,
estarán ciertos sus daños.
    Laurencia, deseo saber
si vive en ti mi cuidado,
1295 y si mi lealtad ha hallado
el puerto de merecer.
    Mira que toda la villa
ya para en uno nos tiene;
y de cómo a ser no viene,
1300 la villa se maravilla.
Los desdeñosos extremos
deja, y responde no o sí.

LAURENCIA

    Pues a la villa y a ti
respondo que lo seremos.

FRONDOSO

1305   Deja que tus plantas bese

1298 *para en uno*: véase la nota del v. 738. Esta mención, de
origen religioso, está rodeada de la reiteración de la palabra *villa* (vv. 1296 y 1300), potenciada por la rima de
maravilla (v. 1300). De esta manera subraya Frondoso
por anticipado la colectividad social que espera que sea
testigo de sus bodas, cuando habría de serlo de la tragedia: la muerte del Comendador.

por la merced recebida,
pues el cobrar nueva vida
por ella es bien que confiese.

LAURENCIA

De cumplimientos acorta,
1310   y, para que mejor cuadre,
habla, Frondoso, a mi padre,
pues es lo que más importa,
    que allí viene con mi tío;
y fía que ha de tener,
1315   ser, Frondoso, tu mujer,
¡buen suceso!

FRONDOSO

¡En Dios confío!

Escónde[n]se.

[ESCENA XIII]

Salen ESTEBAN, [*el*] ALCALDE *y el* REGIDOR.

ALCALDE

Fue su término de modo
que la plaza alborotó.
En efeto, procedió
1320   muy descomedido en todo.

1311 Ahora Laurencia le pide que hable con su padre,
cuando antes (v. 772) le dijo que lo hiciera con su
tío. El trámite escalonado de la relación familiar
aldeana ha de cumplirse con rigor.
1316-1317 La acotación resulta confusa porque no se dijo
antes que Juan Rojo, el tío de Laurencia, fuese
Regidor (lista de personajes y v. 772). Por tanto, en
el curso del diálogo cabe entender que el personaje

No hay a quien admiración
sus demasías no den.
La pobre Jacinta es quien
pierde por su sinrazón.

REGIDOR

1325   Ya [a] los Católicos Reyes,
          que este nombre les dan ya,
          presto España les dará

Alcalde es Esteban, que, como es sabido, es el padre de
Laurencia; y que el *Regidor* sea Juan Rojo, si se quiere
que sólo haya dos personajes en la escena (vv. 1311-1313).
Entre los versos 1386-1387, en la edición se lee *Reg. I*
(como en los vv. 864-865), y en las otras sólo *Reg.* Más
adelante están separados Juan Rojo y el Regidor (escena
II del acto III). Cabe pensar también en que la acotación
inicial, aunque sólo se refiere al Alcalde (uno de los cuales es Esteban) y a un Regidor, éstos formaran parte de
un grupo que iba entrando en la escena, en el que estu-
viesen los Alcaldes, Juan Rojo y el Regidor, y que habla-
sen según conviniera.

1317 *término*: 'determinación, conducta'. Cov. recoge la acep-
     ción "hombre de buen término, el que procede con cor-
     dura" (*s.v. término*). En este caso el *término* del
     Comendador fue perverso, pues se portaba de mala
     manera con las mujeres de la villa.

1325 Como en 637, pero precediendo *a*.
     McGrady anota que esta atribución es un anacro-
     nismo, pues el título de *Católicos* se lo dio a los Reyes
     Alejandro VI en 1494, y la rebelión de Fuente Obejuna
     es de 1476. Cabe también interpretar que ese nombre se
     lo daba el pueblo (o Lope creía que se lo daba pues así
     conviene al curso de su obra), y que la concesión papal
     fuese un reconocimiento a un apelativo que ya era usado
     por los que seguían los propósitos políticos de los Reyes.

1327 *España*: Lope interpreta así la unidad de una nación
     común española, suma de los reinos medievales que aún
     conservan sus insignias propias como banderas de los
     respectivos Reyes.

la obediencia de sus leyes.
	Ya sobre Ciudad Real,
1330	contra el Girón que la tiene,
	Santiago a caballo viene
	por capitán general.
	Pésame, que era Jacinta
	doncella de buena pro.

ALCALDE

1335	¿Luego a Mengo le azotó?

REGIDOR

No hay negra bayeta o tinta
como sus carnes están.

ALCALDE

Callad, que me siento arder,
viendo su mal proceder
1340	y el mal nombre que le dan.
	Yo ¿para qué traigo aquí
	este palo sin provecho?

1331 *Santiago*: Referencia a don Rodrigo Manrique (v. 707),
que actuando como Maestre de la Orden de Santiago
(*capitán general*), marcha sobre Ciudad Real a caballo,
tal como suele representarse al patrón de España, poco
antes nombrado. Obsérvese cómo el aliento épico
(menor) del hecho se enlaza con el suceso local en una
yuxtaposición muy propia del arte de Lope.
1336 *bayeta*: "Una especie de paño flojo y de poco peso, del
cual usamos en Castilla para aforros y para luto" (Cov.,
s.v. vayeta); por tanto, era negra.
	tinta: "hay muchas diferencias de tintas, la principal es
la que usamos para escribir..." (Cov.). Lo dice por los
moratones que tenía en el cuerpo. El término viene un
tanto obligado para servir como rima con *Jacinta*.
1342 Como indica Dixon, el *palo* es la vara de alcalde (como
luego se la nombrará en el v. 1631), a la que llama *palo*
porque con su poder no puede oponerse a los excesos del

REGIDOR

Si sus criados lo han hecho,
¿de qué os afligís ansí?

ALCALDE

1345   ¿Queréis más? Que me contaron
que a la de Pedro Redondo
un día que en lo más hondo
de este valle la encontraron,
     después de sus insolencias,
1350   a sus criados la dio.

REGIDOR

Aquí hay gente. ¿Quién es?

FRONDOSO

Yo,
que espero vuestras licencias.

REGIDOR

Para mi casa, Frondoso,
licencia no es menester;

---

señor. La *vara* es "el ramo del árbol, desmochado y liso"
(Cov.), y las hay de muchas clases; son "tan solamente
insignia".

1343   El Regidor se refiere a la diferencia de jurisdicciones
entre la ley que la vara representa y la ley militar por
la que se gobierna el Comendador y sus gentes. El
encuentro entre ambas leyes acaba por producir la
tragedia.

1345   Antes habló de Sebastiana, mujer de Pedro Redondo
(vv. 779-780), que se le había rendido a su solicitud.

1351   Frondoso se adelanta desde el fondo del escenario, en
donde se había quedado con Laurencia después de la
escena anterior, que había estado a cargo de los dos.

1355   debes a tu padre el ser,
         y a mí otro ser amoroso.
             Hete criado, y te quiero
         como a hijo.

FRONDOSO

             Pues, señor,
         fiado en aquese amor,
1360   de ti una merced espero.
             Ya sabes de quién soy hijo.

ESTEBAN

         ¿Hate agraviado ese loco
         de Fernán Gómez?

FRONDOSO

                     No poco.

ESTEBAN

         El corazón me lo dijo.

FRONDOSO

1365   Pues, señor, con el seguro
         del amor que habéis mostrado,
         de Laurencia enamorado,
         el ser su esposo procuro.
             Perdona si en el pedir
1370   mi lengua se ha adelantado;

1361 Esta petición se hace de acuerdo con las costumbres
     aldeanas. Tanto él como ella establecen los tratos conve-
     nientes: familia y condiciones económicas que han de ser
     el fundamento del matrimonio propuesto. Frondoso for-
     mula su petición a Juan Rojo (si es este Regidor), que
     actúa como intermediario ante Esteban, el padre de la
     novia; recuérdese el v. 772.

que he sido en decirlo osado,
como otro lo ha de decir.

ESTEBAN

   Vienes, Frondoso, a ocasión
que me alargarás la vida,
1375   por la cosa más temida
que siente mi corazón.
   Agradezco, hijo, al cielo
que así vuelvas por mi honor,
y agradézcole a tu amor
1380   la limpieza de tu celo.
   Mas, como es justo, es razón
dar cuenta a tu padre de esto;
sólo digo que estoy presto,
en sabiendo su intención;
1385   que yo dichoso me hallo
en que aqueso llegue a ser.

REGIDOR

De la moza el parecer
tomad, antes de acetallo.

ALCALDE

   No tengáis de eso cuidado,
1390   que ya el caso está dispuesto;
antes de venir a esto,
entre ellos se ha concertado.
   En el dote, si advertís,
se puede agora tratar,
1395   que por bien os pienso dar
algunos maravedís.

1371 *Otro*: ¿Su padre al pedir la mano, como entiende
     Blecua?
1372 Luego se harán las peticiones públicas por parte de las
     familias.

FRONDOSO

Yo dote no he menester.
De eso no hay que entristeceros.

REGIDOR

¡Pues que no la pide en cueros,
1400   lo podéis agradecer!

ESTEBAN

Tomaré el parecer de ella;
si os parece, será bien.

FRONDOSO

Justo es, que no hace bien
quien los gustos atropella.

ESTEBAN

1405   ¡Hija! ¡Laurencia!

LAURENCIA

Señor.

ESTEBAN

Mirad si digo bien yo.
¡Ved qué presto respondió!

1399 *en cueros*: "Estar en cueros, estar desnudos, sin cobertura ninguna sobre sí" (Cov.). Si Frondoso no quiere
dote, es para demostrar que sólo el amor es la causa de
su solicitud. Esto resulta tan anómalo en el dominio aldeano, que el Regidor no puede por menos que burlarse
de ello con la mención "en cueros".
1405 Obsérvese el movimiento de los personajes; Laurencia
habría quedado a un lado, como si no oyera la propuesta
de Frondoso; ahora es al revés: Laurencia y su padre forman el grupo actuante, y Frondoso y el Regidor quedan
a un lado.

Hija Laurencia, mi amor,
a preguntarte ha venido...

Se van a un lado.

1410 (apártate aquí)... si es bien
que a Gila, tu amiga, den
a Frondoso por marido,
que es un honrado zagal,
si le hay en Fuente Ovejuna.

LAURENCIA

1415 ¿Gila se casa?

ESTEBAN

Y si alguna
le merece y es su igual...

LAURENCIA

Yo digo, señor, que sí.

ESTEBAN

Sí, mas yo digo que es fea,
y que harto mejor se emplea
1420 Frondoso, Laurencia, en ti.

1408 El curso oracional pudiera parecer confuso si no se
entiende que Esteban corta el hilo de la oración en la que
debiera decir que era Frondoso el que había venido,
y, para burlar con su hija, pasa a otro contenido en que
finge que Gila vino a pedir a Frondoso por marido. Gila es
nombre de teatro rústico, que casa mal con el de Frondoso.
1413 *zagal*: Frondoso es aquí, en el intermedio cómico, llamado *zagal*. Cov. explica que "quedó la costumbre en las
aldeas de llamar zagales a los barbiponientes, y *zagalas* a
las mozas doncellas" (*s.v. çagal*). Es reconocido arabismo: "zagal vale mozo y pastor fuerte" (*id.*). Con esto
se crece el carácter rústico de la risueña conversación.

LAURENCIA

¿Aún no se te han olvidado.
los donaires con la edad?

ESTEBAN

¿Quiéresle tú?

LAURENCIA

Voluntad
le he tenido y le he cobrado,
1425   pero por lo que tú sabes.

ESTEBAN

¿Quieres tú que diga sí?

LAURENCIA

Dilo tú, señor, por mí.

ESTEBAN

¿Yo? ¿Pues tengo yo las llaves?
Hecho está. Ven, buscaremos...

[*Vuelven al grupo con los demás.*]

1430   a mi compadre en la plaza.

REGIDOR

Vamos.

ESTEBAN

Hijo, y en la traza
del dote, ¿qué le diremos?

1432-1436 El viejo Esteban trata de la dote según el refranero
           recogido por Correas, que dice en uno de ellos:
           "Cabellos y cantar no cumplen ajuar", y en otro
           "Lo que no viene a la boda no viene toda hora", y

Que yo bien te puedo dar
cuatro mil maravedís.

FRONDOSO

1435   Señor, ¿eso me decís?
¡Mi honor queréis agraviar!

ESTEBAN

Anda, hijo, que eso es
cosa que pasa en un día;
que si no hay dote, a fe mía,
1440   que se echa menos después.

Vanse, y queda FRONDOSO *y* LAURENCIA.

LAURENCIA

Di, Frondoso, ¿estás contento?

FRONDOSO

¡Cómo si lo estoy! ¡Es poco,
pues que no me vuelvo loco
de gozo, del bien que siento!
1445   Risa vierte el corazón
por los ojos, de alegría,
viéndote, Laurencia mía,
en tal dulce posesión.

Vanse.

---

añade con su punta de humor: "que después el suegro
cumple mal".

1447 *viéndote*: Blecua, para un mejor concierto gramatical,
propone corregir: *viéndose* [el corazón]; pero también
tiene sentido *viéndote* [a ti] *en* [mi] *dulce posesión.* F.
Weber ("La expresión de la erótica...", p. 684) comenta
estos versos e indica que son el climax de la oposición a
la violencia amorosa del Comendador.

[ESCENA XIV]

[*Cerca de Ciudad Real.*]

Salen el MAESTRE, *el* COMENDADOR, FLORES *y* ORTUÑO.

COMENDADOR

Huye, señor, que no hay otro remedio.

MAESTRE

1450 La flaqueza del muro lo ha causado,
y el poderoso ejército enemigo.

COMENDADOR

Sangre les cuesta y infinitas vidas.

MAESTRE

Y no se alabarán que en sus despojos

1449-1471 Siguiendo la técnica de contraponer paz y guerra,
este intermedio, de condición narrativa, cuenta en
pocas palabras la derrota de las fuerzas del Maestre
y del Comendador, siguiendo la *Chrónica* de
Rades: "Llegaron estos dos capitanes a Ciudad
Real donde el Maestre don Rodrigo Téllez estaba,
y pelearon la gente de los unos con la de los otros a
la entrada y por las calles, que no es pueblo de for-
taleza ni castillo, sino solamente cercado de una
ruin cerca. Todos pelearon valerosamente, y de
ambas partes murieron muchos hombres, mas
como los dos dichos capitanes habían llevado
mucha gente, y los de la ciudad eran con ellos, ven-
cieron, y echaron fuera al Maestre con los suyos"
(Rades, *Chrónica*, fol. 79). Lope esparció entre los
versos 1105-1136 y estos otros el texto de la *Chrónica*; obsérvese la referencia concreta a la flaqueza
del muro, de conformidad con el texto.

pondrán nuestro pendón de Calatrava,
1455   que a honrar su empresa y los demás bastaba.

COMENDADOR

Tus desinios, Girón, quedan perdidos.

MAESTRE

¿Qué puedo hacer, si la Fortuna ciega
a quien hoy levantó, mañana humilla?

Dentro.

¡Vitoria por los reyes de Castilla!

MAESTRE

1460   Ya coronan de luces las almenas,
y las ventanas de las torres altas
entoldan con pendones vitoriosos.

COMENDADOR

Bien pudieran, de sangre que les cuesta.
A fe, que es más tragedia que no fiesta.

MAESTRE

1465   Yo vuelvo a Calatrava, Fernán Gómez.

COMENDADOR

Y yo a Fuente Ovejuna, mientras tratas
o seguir esta parte de tus deudos
o reducir la tuya al Rey Católico.

MAESTRE

Yo te diré por cartas lo que intento.

COMENDADOR

1470   El tiempo ha de enseñarte.

MAESTRE

                              ¡Ah, pocos años,
sujetos al rigor de sus engaños!

[*Se van.*]

[ESCENA XV]

[*Plaza de Fuente Ovejuna.*]

Sale la boda, músicos, MENGO, FRONDOSO, LAURENCIA,
PASCUALA, BARRILDO, ESTEBAN *y* [*el otro*] ALCALDE,
[ALONSO *y* JUAN ROJO].

MÚSICOS

¡Vivan muchos años
los desposados!
¡Vivan muchos años!

MENGO

1475   A fe, que no os ha costado
mucho trabajo el cantar.

BARRILDO

¿Supiéraslo tú trovar
mejor que él está trovado?

1470 Está dentro de la sentencia: "El tiempo te dirá qué
    hagas" (Cov.).
1471 acot. En B: *y Esteban, alcalde*; en el texto, como en A,
    con los añadidos.
1472 La cancioncilla era de uso común en estos casos, como
    aparece en Margit Frenk, *Corpus de la antigua lírica*
    popular hispánica, Madrid, Clásicos Castalia, n.º 1411,

FRONDOSO

Mejor entiende de azotes,
1480   Mengo, que de versos ya.

MENGO

Alguno en el valle está,
para que no te alborotes,
    a quien el Comendador...

BARRILDO

No lo digas, por tu vida,
1485   que este bárbaro homicida
a todos quita el honor.

MENGO

    ¡Que me azotasen a mí
cien soldados aquel día...!
Sola una honda tenía;
1490   harto desdichado fui.
    Pero que le hayan echado
una melecina a un hombre,
que, aunque no diré su nombre,
todos saben que es honrado,

---

p. 611, con otros usos del mismo cantar. De ahí el inmediato comentario de Mengo.
1485 *bárbaro homicida*: Barrildo usa aquí dos cultismos que
elevan el comentario; es como si los indicios que se regis-
traron en lo que había dicho el labrador (v. 937), reapa-
reciesen para preparar la *tragedia*, palabra que usó antes
el propio Comendador (v. 1464).
1490 Falta este verso en A: en el texto como en B.
1492 *melecina*: "Un lavatorio de tripas que se recibe por el
sieso, y el mismo instrumento con que se echa se llama
melecina, que es un saquillo de cuero con un canuto [...].
Lo mismo significa clístel y gaita y ayuda" (Cov.).

1495   llena de tinta y de chinas,
           ¿cómo se puede sufrir?

BARRILDO

Haríalo por reír.

MENGO

No hay risa con melecinas,
    que aunque es cosa saludable...,
1500   yo me quiero morir luego.

FRONDOSO

¡Vaya la copla, te ruego...!,
si es la copla razonable.

MENGO

¡Vivan muchos años juntos
los novios, ruego a los cielos,
1505   *y por envidias ni celos*
ni riñan ni anden en puntos!
    Lleven a entrambos difuntos,
de puro vivir cansados.
¡Vivan muchos años!

[FRONDOSO]

1510   ¡Maldiga el cielo el poeta,
que tal coplón arrojó!

1495 Blecua anota que quizá se refiera a una planta
     medicinal llamada *china*, pero otros usos inclinan
     más bien a considerar que se trata propiamente
     de *chinas* 'chinos, piedrecitas de pequeño tamaño'.
1505 En la copla la *y* de *y por envidias ni celos* se sobre-
     entiende que es *ni*, en paralelo con el verso
     siguiente *ni riñas ni...*; *andar en puntos* es como
     andar en puntas: "en diferencias" (Cov., *s.v. punto*).
1509-1510 Las ediciones antiguas atribuyen otra vez a Mengo
     los vv. 1510-1511, sólo explicable si el propio

BARRILDO

Fue muy presto...

MENGO

Pienso yo
una cosa de esta seta:
¿no habéis visto un buñolero,
1515   en el aceite abrasando,
pedazos de masa echando
hasta llenarse el caldero?
Que unos le salen hinchados,
otros tuertos y mal hechos,
1520   ya zurdos y ya derechos,
ya fritos y ya quemados.
Pues así imagino yo
un poeta componiendo,
la materia previniendo,
1525   que es quien la masa le dio.
Va arrojando verso aprisa
al caldero del papel,
confiado en que la miel
cubrirá la burla y risa.
1530   Mas poniéndolo en el pecho,
apenas hay quien los tome;

Mengo hiciera en ellos una crítica burlesca de sí mismo.
Que sea de Mengo la copla lo autorizan los vv. 1501-
1502, en que Frondoso incita a Mengo a que la cante, y
por eso parece que la crítica debiera ser del mismo Frondoso. Blecua se inclina por que cante la copla Barrildo,
dejando para luego que Mengo la critique.
1513 *seta* por secta, en rima con *poeta* (1510).
1514 B: *buñuelero*.
1530 *poniéndolo en el pecho*: Contando con la comparación
entre la composición del verso y la cochura de los buñue-
los, *poner en el pecho* puede significar 'comerse los
buñuelos-versos'; hay modismos que lo apoyan: "Entre
pecho y espalda, término de los que comen valiente-
mente" (Cov., *s.v. pecho*).

tanto, que sólo los come
el mismo que los ha hecho.

BARRILDO

¡Déjate ya de locuras!
1535   Deja los novios hablar.

LAURENCIA

Las manos nos da a besar.

JUAN [ROJO]

Hija, ¿mi mano procuras?
Pídela a tu padre luego
para ti y para Frondoso.

ESTEBAN

1540   Rojo, a ella y a su esposo
que se la dé, el cielo ruego,
con su larga bendición.

FRONDOSO

Los dos a los dos la echad.

JUAN [ROJO]

¡Ea, tañed y cantad,
1545   pues que para en uno son!

1536 En medio de la alegría y las bromas, la ceremonia de la
bendición de la familia parece que ha de ser el fin del
feliz acontecimiento. Pero una canción de los músicos
detiene el movimiento y expresa líricamente el confuso
temor de los asistentes en una pieza de gran intensidad,
en cuyo fin se inicia la parte trágica de la obra.
1543 Comp. 1235 y los casos análogos allí citados.
1545 Otra vez vuelve a repetirse esta expresión de fondo
evangélico, que denota el matrimonio (véanse los
vv. 738 y 1298). Aquí se pone de manifiesto que este orden
de unión tendría que ser, además de santa, armoniosa,

MÚSICOS

Al val de Fuente Ovejuna
la niña en cabello baja;
el caballero la sigue
de la Cruz de Calatrava.
1550 *Entre las ramas se esconde,*
de vergonzosa y turbada;
fingiendo que no le ha visto,
pone delante las ramas.

«¿Para qué te ascondes,
1555 *niña gallarda?*
Que mis linces deseos
paredes pasan.»

Acercóse el caballero,
y ella, confusa y turbada,
1560 *hacer quiso celosías*
de las intricadas ramas.

---

pues llega envuelta en la música de los instrumen-
tos y las voces. Por eso resulta tan sorprendente el
texto mismo de la canción, anunciador de la inmi-
nencia del que parece desastre.

1546-1569 Véase López Estrada, "La canción 'Al val de
Fuente Ovejuna' de la comedia *'Fuente Ovejuna'*
de Lope", *Homenaje a W. L. Fichter,* Madrid, Castalia, 1971, pp. 453-468.

1547 *niña en cabello:* "la doncella, porque en muchas
partes traen a las doncellas en cabello, sin toca,
cofia o cobertura ninguna en la cabeza hasta que se
casan" (Cov.). A: *cabellos;* en el texto como en B,
que es como lo trae Covarrubias.

1556 *linces deseos*: para el uso de *lince* como adjetivo,
véase Profeti. *Lince* se identifica como el "lobo cer-
val", que es un animal de aguda vista como indica
Covarrubias.

1561 *intricadas:* es la forma correcta desde un punto de
vista etimológico (<*intricare*), usada así en los
Siglos de Oro y cambiada después en *intrincadas.*

Mas, como quien tiene amor,
los mares y las montañas
atraviesa fácilmente,
1565   la dice tales palabras:

«Para qué te ascondes,
niña gallarda?
Que mis linces deseos
paredes pasan.»

[ESCENA XVI]

Sale el COMENDADOR, FLORES, ORTUÑO *y* CIMBRANOS.

COMENDADOR

1570   Estése la boda queda,
y no se alborote nadie.

JUAN [ROJO]

No es juego aqueste, señor,
y basta que tú lo mandes.
¿Quieres lugar? ¿Cómo vienes
1575   con tu belicoso alarde?
¿Venciste? Mas ¿qué pregunto?

FRONDOSO

¡Muerto soy! ¡Cielos, libradme!

LAURENCIA

Huye por aquí, Frondoso.

1565 Obsérvese el laísmo, existente en las impresiones de A y
B, como en 2421.
1575 *belicoso alarde*: a la llegada del Comendador, Juan Rojo
eleva la categoría de las palabras: *belicoso* es un cultismo
que no registra Cov., y *alarde*, un arabismo de los orígenes del idioma, que implica 'ostentación, gallardía'.

COMENDADOR

Eso, no. ¡Prendelde, atalde!

JUAN [ROJO]

1580   Date, muchacho, a prisión.

FRONDOSO

Pues ¿quieres tú que me maten?

JUAN [ROJO]

¿Por qué?

COMENDADOR

              No soy hombre yo
que mato sin culpa a nadie,
que si lo fuera, le hubieran
1585   pasado de parte a parte
esos soldados que traigo.
Llevarle mando a la cárcel,
donde la culpa que tiene
sentencie su mismo padre.

PASCUALA

1590   Señor, mirad que se casa.

COMENDADOR

¿Qué me obliga a que se case?
¿No hay otra gente en el pueblo?

1580 Juan Rojo, bien a su pesar, tiene que cumplir con lo que
le ordena el Comendador, que además quiere que el caso
se sentencie por la vía de la ley que corresponde a su
clase social (v. 1589), y le toca al padre de la novia
hacerlo como Alcalde. Dixon indica que al decir *su
mismo padre* (v. 1589), éste pudiera ser el padre de Frondoso, y en este caso éste sería Alonso, el otro Alcaide.

PASCUALA

Si os ofendió, perdonadle,
por ser vos quien sois.

COMENDADOR

No es cosa,
1595   Pascuala, en que yo soy parte.
Es esto contra el Maestre
Téllez Girón, que Dios guarde;
es contra toda su Orden,
es su honor, y es importante
1600   para el ejemplo, el castigo;
que habrá otro día quien trate
de alzar pendón contra él,
pues ya sabéis que una tarde
al Comendador mayor
1605   —¡qué vasallos tan leales!—
puso una ballesta al pecho.

ESTEBAN

Supuesto que el disculparle
ya puede tocar a un suegro,
no es mucho que en causas tales
1610   se descomponga con vos
un hombre, en efeto, amante.

1594 Pascuala formula la última tabla de salvación para evitar
la tragedia que se avecina. Como indica Dixon, esto es
una variante de la fórmula *soy quien soy* o conciencia personal de la nobleza, frecuente en el teatro y en la novela,
dentro de la cual podría estar el perdón de la falta come-
tida. Recuérdese que don Quijote afirmó su personalidad
ante el buen labrador (I, 5) diciendo: "Yo sé quién soy".
El Comendador desvía la ofensa hacia la Orden convir-
tiendo el caso personal en social, con el encuentro entre
las dos jurisdicciones.
1607 B: *disculparse*. En el texto, como en A.
1610 *descomponga*: descompostura es, según Cov.: "atrevimiento y desmesura" (*s.v. descomponer*).

Porque si vos pretendéis
su propia mujer quitarle,
¿qué mucho que la defienda?

COMENDADOR

1615   Majadero sois, alcalde.

ESTEBAN

Por vuestra virtud, señor.

COMENDADOR

Nunca yo quise quitarle
su mujer, pues no lo era.

ESTEBAN

¡Sí quisistes...! Y esto baste,
1620   que Reyes hay en Castilla,
que nuevas órdenes hacen,
con que desórdenes quitan.
Y harán mal, cuando descansen
de las guerras, en sufrir
1625   en sus villas y lugares
a hombres tan poderosos
por traer cruces tan grandes.
Póngasela el Rey al pecho,

1616 *por vuestra virtud*: Esteban se apoya en la fórmula *en vir-
    tud de...*, referente a que en las menciones de los cargos
    así se dice (Cov., *s.v. virtud*); y él lo es por nombramiento
    del propio Comendador. Y esto le da ocasión para jugar
    entre *virtud* ('probidad') y la fórmula que suma *alcalde* y
    majadero.
1628 Lope con esto refrenda lo que los Reyes Católicos
    hicieron y luego siguieron los sucesivos monarcas. De
    esta manera la comedia puede considerarse como una
    confirmación de la política de los Reyes Católicos,
    cuya vigencia (al menos, como prestigio) seguía
    cuando se representaba la obra ante el público de la
    época.

que para pechos reales
1630 es esa insignia, y no más.

COMENDADOR

¡Hola! ¡La vara quitalde!

ESTEBAN

Tomad, señor, norabuena.

COMENDADOR

[*Golpeándolo con la vara.*]

Pues con ella quiero dalle,
como a caballo brioso.

ESTEBAN

1635 Por señor os sufro. Dadme.

PASCUALA

¡A un viejo de palos das!

LAURENCIA

Si le das porque es mi padre,
¿qué vengas en él de mí?

COMENDADOR

Llevadla, y haced que guarden
1640 su persona diez soldados.

[*Vase él y los suyos.*]

1631 Recuérdese que Esteban había llamado antes *palo*
(v. 1342) a la vara del alcalde y, en efecto, el Comendador
la utiliza como tal para apalear al padre de Laurencia.
1639 B: *llevadle.* En el texto, como en A. En un caso se refiere
a Laurencia, y en el otro, a Frondoso.

ESTEBAN

¡Justicia del Cielo baje!

Vase.

PASCUALA

¡Volvióse en luto la boda!

Vase.

BARRILDO

¿No hay aquí un hombre que hable?

MENGO

Yo tengo ya mis azotes,
1645 que aun se ven los cardenales,
sin que un hombre vaya a Roma...
Prueben otros a enojarle.

JUAN [ROJO]

Hablemos todos.

1641 Otra vez (como en 1252 y 1275) se va preparando
ante los espectadores la situación teatral para que la
muerte del Comendador sea un castigo divino que
se ejecuta por medio del levantamiento del pueblo.
1645-1646 Es el conocido juego de palabras entre las dos acep-
ciones de *cardenal:* 'hematoma' y la dignidad ecle-
siástica.
1648 Con estas dos propuestas: la de hablar todos,
de Juan Rojo, y la de silencio total, de Mengo
(v. 1649), culmina el fin del acto segundo, y deja
tensa la expectativa dramática de la oposición de
criterios. En el comienzo del acto siguiente, las razones que van exponiendo uno a uno los aldeanos reu-
nidos en junta conducirán a una acción común, la del
pueblo cuyo nombre será la suma de todos. Mengo,
aquí remiso, se une luego a la colectividad y es

MENGO

Señores,
aquí todo el mundo calle.
1650   Como ruedas de salmón
me puso los atabales.

---

pieza de contraste. La palabra ha de preceder a la acción
en este proceso que voy marcando para constituir al pueblo como personaje.
1650 *ruedas de salmón*: por rodajas; salmón, por el color.
1651 *atabal*: "Por otro nombre dicho atambor o caja, por ser
una caja redonda, cubierta de una parte y de otra con
pieles rasas de becerros..." (Cov. *s.v. atabal*). Se com-
prende que se refiera a las nalgas, en las que los azotes
habían sido como golpes repetidos de tambor (véanse
vv. 2425-2426, en donde se repite la metáfora burlesca).
El acto segundo tiene un fin desolador en el que los chis-
tes de Mengo ponen una nota trágico-cómica; es como el
rumor premonitorio de la tempestad inminente, un gran
acierto de Lope.

Comendador: Llevadla y haced que guarden
su persona diez soldados.

Acto segundo, escena XVI

Escena de una representación de *Fuente Ovejuna* en el
Teatro Español de Madrid.

El alarde descriptivo del Maestre y el Comendador montados a caballo con gran riqueza de vestidos, recuerda los grandes cuadros de época, como éste del *Conde-Duque de Olivares*, pintado por Velázquez.

ACTO TERCERO

[ESCENA I]

[Sala en la que se reúnen los vecinos de Fuente Ovejuna.]

Salen ESTEBAN, ALONSO *y* BARRILDO.

ESTEBAN

¿No han venido a la junta?

BARRILDO

No han venido.

ESTEBAN

Pues más apriesa nuestro daño corre.

BARRILDO

Ya está lo más del pueblo prevenido.

ESTEBAN

1655   ¡Frondoso con prisiones en la torre,

1655 Según Cov., *prisiones* (en plural) son "los grillos y cadenas que echan al que está preso" (*s.v. prisión*).

195

y mi hija Laurencia en tanto aprieto,
si la piedad de Dios no lo socorre...!

[ESCENA II]

Salen JUAN ROJO *y el* REGIDOR [*y se unen a los otros*].

JUAN

¿De qué dais voces, cuando importa tanto
a nuestro bien, Esteban, el secreto?

ESTEBAN

1660   Que doy tan pocas es mayor espanto.

Sale MENGO.

MENGO

También vengo yo a hallarme en esta junta.

ESTEBAN

Un hombre cuyas canas baña el llanto,
labradores honrados, os pregunta
   qué obsequias debe hacer toda esta gente
1665   a su patria sin honra, ya perdida.
Y si se llaman honras justamente,

1657 Desde Hartzenbusch se rectifica *los*, pero no es necesario pues se puede entender en un sentido neutro 'esto, lo
que les ocurre a los dos'.
1658 Si Juan Rojo era también Regidor, hay que entender [el
otro] Regidor; pudiera ser inadvertencia de Lope o que
el texto que se imprimiera no distinguiese en estos casos.
1664 *obsequias*. Comenta con razón Covarrubias: "Las honras
que se hacen a los difuntos; del nombre latino *exequiae*,
que en rigor debíamos de decir *exequias* [...]; llamámosle
nosotros comúnmente enterramiento".

¿cómo se harán, si no hay entre nosotros
hombre a quien este bárbaro no afrente?
Respondedme: ¿hay alguno de vosotros
1670   que no esté lastimado en honra y vida?
¿No os lamentáis los unos de los otros?
Pues si ya la tenéis todos perdida,
     ¿a qué aguardáis? ¿Qué desventura es ésta?

JUAN

La mayor que en el mundo fue sufrida.
1675   Mas pues ya se publica y manifiesta
que en paz tienen los Reyes a Castilla,
y su venida a Córdoba se apresta,
vayan dos regidores a la villa,
     y, echándose a sus pies, pidan remedio.

1668 *bárbaro*: Otra vez este cultismo califica al Comendador
(vv. 937, 1485). Conviene con lo que dice Cov.: "llamamos *bárbaros* [...] a los de malas costumbres y mal mori-
gerados [...], que viven sin ella [la razón], llevados de
sus apetitos y finalmente los que son despiadados y
crueles".

1677 Las *Memorias* de Bernáldez dicen de los viajes de los
Reyes en el verano de 1477: "Asentados los negocios de
Castilla Vieja y León, y toda la tierra de ellos puesta
debajo de sus reales cetros [...], propusieron pasar los
puertos y venir en tierra de Extremadura [...]". De Truji-
llo "por la Serena, se vinieron a Sevilla. Y en este viaje
[...] se hizo la conformidad entre el Rey y la Reina y el
Marqués de Villena y el Maestre de Calatrava, don
Rodrigo Girón y el Conde de Ureña, su hermano..."
(pp. 65-66). El paso de los Reyes por Córdoba es un arbitrio de Lope, conveniente para la intriga dramática.

1678 *villa:* se refiere a Córdoba, ciudad importante. Aunque
villa se aplicase al lugar menor, donde viven los villanos,
también podía hacerse a otros lugares mayores. Cov.
dice: "El día de hoy llamamos villas los lugares de gente
más morigerada...". Y recoge este refrán: "Villa por villa,
Valladolid en Castilla", en donde como aquí rima *Castilla* con *villa* (*s.v. villa*).

BARRILDO   ·

1680   En tanto que [aquel Rey] Fernando humilla
a tantos enemigos, otro medio
      será mejor, pues no podrá, ocupado,
hacernos bien con tanta guerra en medio.

REGIDOR

Si mi voto de vos fuera escuchado,
1685   desamparar la villa doy por voto.

JUAN

¿Cómo es posible en tiempo limitado?

MENGO

¡A la fe, que si entiende el alboroto,
que ha de costar la junta alguna vida!

1680   Barrildo pretende justificar que los Reyes, por los muchos
cuidados del gobierno (y el caso de Ciudad Real lo
prueba), no pueden ocuparse de las quejas de Fuente Obejuna. La mención, sin embargo, orienta el fin de la obra, en
la que los Reyes han de intervenir directamente. A y B
traen: *En tanto que Fernando, aquel que humilla;* la corrección se establece para dar sentido a la frase. Hartzenbusch
(y le sigue M. Pelayo) corrige: *En tanto que Fernando al
suelo humilla.* A. Castro mantiene el texto de la edición y
aclara: "La frase está constituida como si hubiese escrito el
autor: "En tanto que Fernando humilla a tantos enemigos". Blecua propone "En tanto que Fernando, aquel que
humilla," (o sea el *debellator*). Dixon, por su parte, lee:
"En tanto que Fernando aquieta y humilla". McGrady:
"En tanto llega Fernando, que humilla". Blecua mantiene
las grafías entendiendo *a* (en el verso siguiente) como *ha.*
1685   *desamparar la villa* es la otra propuesta, y puede significar
'abandonarla'. Cabe pensar que el Regidor que dice esto sea
otro que el que poco después (vv. 1688-1695 y 1697-1698)
señala la vía de la rebelión. Como dice Juan, esa vía requiere
tiempo, y vale menos por tener al Comendador dentro.
1687   *entiende*: Mengo se refiere al Corregidor; es algo más que

REGIDOR

Ya todo el árbol de paciencia roto,
1690   corre la nave, de temor perdida.
        La hija quitan con tan gran fiereza
a un hombre honrado, de quien es regida
la patria en que vivís, y en la cabeza
la vara quiebran tan injustamente.
1695   ¿Qué esclavo se trató con más bajeza?

JUAN

¿Qué es lo que quieres tú que el pueblo intente?

REGIDOR

¡Morir, o dar la muerte a los tiranos,
pues somos muchos, y ellos poca gente!

BARRILDO

¡Contra el señor las armas en las manos!

ESTEBAN

1700   El rey solo es señor, después del Cielo,

'oír'. Como indica Cov.: "Entender, como querer juzgar
cada uno en derecho de su dedo" (*s.v. entender*). Esto es,
si lo juzga como le conviene, habrá muertes.

1690 La *nave* es el gobierno del lugar, comparación muy
común en la oratoria política de la época, y que así
levanta el tono del discurso para que se oiga la grave propuesta de este Regidor.

1696 Lope va reuniendo los términos que dan entidad a los
contrarios del Comendador: *patria* (v. 1693) y *pueblo*
(v. 1696) en las inmediaciones de señalar como *tiranía* la
conducta del Comendador.

1697 La palabra *tirano* (originalmente griega y que pasa al
latín como *tyrannus*) es propia del léxico humanístico y
está registrada por vez primera en el *Vocabulario universal* de Alonso de Palencia, aunque haya sido usada antes
(véase López Estrada, 1965, pp. 47-56). Esta palabra

y no bárbaros hombres inhumanos.
Si Dios ayuda nuestro justo celo,
    ¿qué nos ha de costar?

MENGO

                    Mirad, señores,
que vais en estas cosas con recelo.
1705   Puesto que por los simples labradores
        estoy aquí, que más injurias pasan,
    más cuerdo represento sus temores.

JUAN

Si nuestras desventuras se compasan,

---

pudo tomarla Lope de la *Chrónica* de Rades (fol. 80), en
donde se lee que, después que contaron a los Reyes el
hecho de Fuente Obejuna "Sus Altezas [los Reyes
Católicos] siendo informados [por el pesquisidor] de
las *tiranías* del Comendador...". Lope la aprovecha a lo
largo de la comedia para trazar la figura política del
Comendador; en el punto en que aparece esta palabra,
la rebelión trata de encontrar una vía dentro del desarrollo político y deja de ser un alboroto popular.
Recuérdese que el Regidor (v. 886) apuntó este sentido
del derecho con el propósito de "gobernar en paz esta
república".

1701 A medida que Esteban propone la rebelión, que tanto
asusta a Barrildo, representación del pueblo aldeano, su
lenguaje se eleva y se vale de términos del derecho: *bárbaro* (ya referido en el v. 936); *inhumano* (según Cov.:
"el cruel, el que no tiene condición de hombre, sino de
fiera"; y enseguida indica el origen: "latine *inhumanus*".
El rey, por tanto, es la representación del poder humano,
justo y benigno; y en la cúpula se encuentra Dios en la
última instancia. La doctrina política que se desprende
del alegato favorece la que es propia de la época
de Lope, en cuanto a la adhesión a una monarquía que es
cabeza de la nación.

1704 *vais*, por 'vayáis'.

1708 *se compasan*: Compasar es "dividir con compás" (Cov.);

para perder las vidas, ¿qué aguardamos?
1710 Las casas y las viñas nos abrasan;
tiranos son. ¡A la venganza vamos!

[ESCENA III]

Sale LAURENCIA, *desmelenada.*

LAURENCIA

Dejadme entrar, que bien puedo,
en consejo de los hombres;

---

se dividen y distribuyen todas las desventuras por
igual, como medidas por compás.
1710 *Las casas y las viñas* representan según McGrady
metafóricamente las esposas y las hijas. Sin embargo,
como indica Dixon, más adelante (vv. 2399-2400)
Esteban denuncia al Comendador que "las haciendas
nos robaba", y luego que "las doncellas forzaba". En
la *Chrónica* de Rades se especifica que les robaba las
haciendas para sustentar sus soldados (fol. 80). Que
Juan Rojo recordase este motivo es plausible, pues el
factor económico es muy fuerte entre los aldeanos.
En una *Historia de Fuente Obejuna*, de Francisco
Caballero y Villamediana (1783), se dice con respecto
a las viñas que "produce más que mediana cosecha de
vino, siendo este el más generoso que se da en el país,
y aunque las viñas han llegado a escasear, fue esta
especie antiguamente la de mayor utilidad que hoy
el terreno produce" (Copia, pp. 29-30). Correas
recoge un refrán: "En Fuenteovejuna falta el aceite
y el vino suda" (p. 129). Por tanto, es posible que el
vino de Fuente Obejuna tuviera en tiempos de Lope
alguna fama.
1711 *vamos*, por 'vayamos'.
1712-1715 J. Cañas subraya este testimonio de la discrimina-
ción de la mujer, que no podía entrar en los Con-
cejos. Laurencia con esto pone de manifiesto su

que bien puede una mujer,
1715 si no a dar voto, a dar voces.
¿Conocéisme?

ESTEBAN

              ¡Santo cielo!
¿No es mi hija?

JUAN

              ¿No conoces
a Laurencia?

LAURENCIA

         Vengo tal,
que mi diferencia os pone
1720 en contingencia quién soy.

ESTEBAN

¡Hija mía!

---

transitoria condición varonil (luego cita a las *amazonas*,
v. 1792, mito que la apoya), compensada después por su
amor a Frondoso.
1714 Se sobreentiende *entrar*.
1720 *poner en contingencia*: 'poner en duda', cultismo que
usa Laurencia en el punto en que aparece *desmelenada*,
y esta *diferencia*, de aspecto (además de hacerla casi
irreconocible a los ojos de su mismo padre) puede incli-
nar a creer que el Comendador la forzó. El *Dicc. Autoridades* trae: "Lance, ocasión y caso que puede ser o no
ser, según las circunstancias y estado en que se halla
una cosa". La contingencia en cuestión consiste en
saber si Laurencia ha sido o no violada por el Comendador. Ella no lo dice y queda la duda aparente para
el efecto dramático, que luego (vv. 2410-2411) se ha de
aclarar en un sentido negativo para dar un final feliz a
la comedia.

LAURENCIA

No me nombres
tu hija.

ESTEBAN

¿Por qué, mis ojos?
¿Por qué?

LAURENCIA

¡Por muchas razones!
Y sean las principales,
1725   porque dejas que me roben
tiranos sin que me vengues,
traidores sin que me cobres.
Aún no era yo de Frondoso,
para que digas que tome,
1730   como marido, venganza,
que aquí por tu cuenta corre;
que en tanto que de las bodas
no haya llegado la noche,
del padre y no del marido,
1735   la obligación presupone;
que en tanto que no me entregan
una joya, aunque la [compre],
no ha de correr por mi cuenta

1722 *mis ojos*: Exclamación que lleva implícita la expresión
que recoge Cov.: "Para encarecer, solemos decir querer
una cosa como a las niñas de nuestros ojos" (*s.v. niño*).

1726 Otra vez la mención de *tiranos* da sentido a la *venganza*
(v. 1711) y la justifica como acto de justicia.

1731 Laurencia expone el código común de la defensa del
honor de la mujer. La comparación con la *joya*
(v. 1737) relaciona el caso con la mención de la virgini-
dad como joya preciada. Enlácese también con "*Joyas*,
los arreos que el desposado envía a la desposada, así de
oro como de aderezos". (Cov. *s.v. joya*).

1737 A: *aunque la compren*; B: *aunque le compren*. Prefiero *la*
y corrijo *compre*.

las guardas ni los ladrones.
1740 Llevóme de vuestros ojos
a su casa Fernán Gómez;
la oveja al lobo dejáis,
como cobardes pastores.
¿Qué dagas no vi en mi pecho?
1745 ¡Qué desatinos enormes,
qué palabras, qué amenazas,
y qué delitos atroces
por rendir mi castidad
a sus apetitos torpes!
1750 Mis cabellos, ¿no lo dicen?
¿No se ven aquí los golpes,
de la sangre, y las señales?
¿Vosotros sois hombres nobles,
vosotros, padres y deudos?
1755 ¿Vosotros, que no se os rompen
las entrañas de dolor,
de verme en tantos dolores?
Ovejas sois; bien lo dice

1750-1752 Laurencia cuenta la violencia física que el Comendador hizo sobre ella; por lo que luego dice Frondoso ante los Reyes (vv. 2410-2411), resulta que no
hubo violación de la doncella por la resistencia que
ella opuso.
1752 Entiendase el hipérbaton "y las señales de la sangre", que así, en el curso directo de la sintaxis,
sobrepasa el octosílabo.
1754 *nobles*: no en el sentido social de "hidalgo y bien
nacido", sino en el moral del que es noble "por su
virtud y la de sus antepasados" (Cov.), aquí los
inmediatos, los padres y los parientes. El reconoci-
miento de esta nobleza de los villanos y Fuente
Obejuna favorece una consideración positiva del
pueblo como personaje colectivo y es justificación
para el final perdón de los Reyes.
1758 Lo que dice Laurencia en su discurso es una afrenta
para los suyos por compararlos con la mansedumbre
de las ovejas. Conviene tener en cuenta lo que se

de Fuente Ovejuna el nombre.
1760   ¡Dadme unas armas a mí,
pues sois piedras, pues sois bronces,
pues sois jaspes, pues sois tigres...!
Tigres no, porque feroces
siguen quien roba sus hijos,
1765   matando los cazadores
antes que entren por el mar,
y por sus ondas se arrojen.
Liebres cobardes nacistes;
bárbaros sois, no españoles.
1770   ¡Gallinas! ¡Vuestras mujeres
sufrís que otros hombres gocen!
¡Poneos ruecas en la cinta!
¿Para qué os ceñís estoques?
¡Vive Dios, que he de trazar
1775   que solas mujeres cobren
la honra, de estos tiranos,
la sangre, de estos traidores!
¡Y que os han de tirar piedras,
hilanderas, maricones,
1780   amujerados, cobardes!

---

dijo de que los humanistas de la época identifican el lugar como una *Fons Mellaria* o Fuente de las Abejas. Véase la nota 14 del Prólogo.

1762   *Jaspes* es el mármol veteado, y no entiendo claro su uso en este lugar. ¿Indiferentes como las piedras comunes, los metales o las piedras de calidad? ¿Hubo aquí otra palabra en el original de Lope?

1764-1766   Como indica Dixon, la mención procede de Plinio VIII, 25.

1769   Aquí *bárbaro* tiene el sentido etimológico que mencioné en la nota del v. 936, de 'extraño, que se encuentra en un lugar que no es el suyo, ajeno'. Laurencia juega con los dos sentidos que menciono, éste y el de 'incivil', oponiéndolo al de *españoles*.

1772   El octosílabo pide la pronunciación en diptongo de la sílaba pón*eos*.

¡Y que mañana os adornen
nuestras tocas y basquiñas,
solimanes y colores!
A Frondoso quiere ya,
1785   sin sentencia, sin pregones,
colgar el Comendador
del almena de una torre;
de todos hará lo mismo;
y yo me huelgo, medio hombres,
1790   porque quede sin mujeres
esta villa honrada, y torne
aquel siglo de amazonas,
eterno espanto del orbe.

1782-1783 Como indica Dixon, lo que dice Laurencia en este
espacio es una ilustración del mundo al revés, con
la inversión de la función social de los sexos, y tiene
un precedente en el relato de Onfalia y Hércules.
   1782 *tocas y basquiñas*: Toca: "El velo de la cabeza de la
mujer" (Cov.). *Basquiña* es un portuguesismo que
se difunde en el siglo XVI por *falda* (o *halda*), como
hubiera convenido con el traje de las aldeanas.
   1783 *Solimanes y colores*: la acepción de *solimán,* a que
se refiere Laurencia, es la de un cosmético que usa-
ron las mujeres para hermosearse; se cita así ya en
el *Corbacho,* y el término adopta también el sentido de veneno, que registra Covarrubias. (Véase
A. Steiger, *Contribución a la fonética del hispano-
árabe,* Madrid, 1932, pp. 74-75.)
   1785 Es decir, sin los trámites legales que son propios de
la justicia; quiere decir sin que el inculpado haya
podido defenderse. Así el Comendador se descali-
fica como depositario de la justicia de su señor, y la
premeditada muerte de Frondoso se convierte en
una venganza personal.
   1792 *amazonas*: Laurencia, arrastrada por el furor poético, menciona a estas criaturas mitológicas que no
son propias de la condición popular de una labradora, pero que justifican su conducta. Con todo,
hay que tener en cuenta que eran de las figuras
mitológicas más conocidas y comentadas. *Siglo* en

ESTEBAN

Yo, hija, no soy de aquellos
1795 que permiten que los nombres
con esos títulos viles.
Iré solo, si se pone
todo el mundo contra mí.

JUAN

Y yo, por más que me asombre
1800 la grandeza del contrario.

REGIDOR

Muramos todos.

BARRILDO

Descoge
un lienzo al viento en un palo,
y mueran estos inormes.

JUAN

¿Qué orden pensáis tener?

---

el sentido de 'época'. Esta referencia culta cierra un
largo parlamento que permite el lucimiento de la actriz,
y por su evidente fuerza poética prepara al espectador
para las escenas de violencia que seguirán.
1801 *Descoge*: Cov.: "descoger, desplegar lo que estaba cogido
o plegado". Una vez que se deciden a la lucha, necesitan
un pendón que los acoja y ordene. En seguida, *orden*
(v. 1804).
1803 *inormes,* por *enormes.* La versión vulgarizada del cultismo arraigado por Mena tenía una resonancia que iba
más allá de la mención del tamaño, en el sentido de fuera
de *norma*: "[norma] metafóricamente significa la ley, la
fórmula, estilo ajustado y medido. Y porque algunos
pecados son grandes y desproporcionados los llamamos
enormes" (Cov.).
1804 *orden*: frente a la falta de norma del Comendador, Juan

MENGO

1805   Ir a matarle sin orden.
Juntad el pueblo a una voz,
que todos están conformes
en que los tiranos mueran.

ESTEBAN

Tomad espadas, lanzones,
1810   ballestas, chuzos y palos.

MENGO

¡Los reyes, nuestros señores,
vivan!

TODOS

¡Vivan muchos años!

MENGO

¡Mueran tiranos traidores!

TODOS

¡Traidores tiranos mueran!

Vanse todos.

---

pregunta por el *orden* que hay que llevar; "ir en
orden, ir cada uno en su lugar", explica Cov.
(*s.v. orden*), como va un ejército. Mengo propone
lo contrario: ir en forma tumultuosa, en una unidad
colectiva, *el pueblo* (mencionado en el v. 1696).
Como testimonia Rades, los gritos eran: "Fuente
Ovejuna, Fuente Ovejuna" y "Mueran los traidores
y malos cristianos" (*Chrónica*, fol. 79 v.).
1813-1814 Lope convierte los gritos en una enumeración *a-b-
c, c-b-a*, en la que el término *tirano* queda en el cen-
tro como clave.

[ESCENA IV]

[*En el tumulto,* LAURENCIA *llama a las mujeres, que quedan solas en escena.*]

LAURENCIA

1815 Caminad, que el cielo os oye.
¡Ah..., mujeres de la villa!
¡Acudid, porque se cobre
vuestro honor! ¡Acudid todas!

Salen PASCUALA, JACINTA *y otras mujeres.*

PASCUALA

¿Qué es esto? ¿De qué das voces?

LAURENCIA

1820 ¿No veis cómo todos van
a matar a Fernán Gómez,
y hombres, mozos y muchachos
furiosos al hecho corren?
¿Será bien que solos ellos
1825 de esta hazaña el honor gocen,
pues no son de las mujeres
sus agravios los menores?

JACINTA

Di, pues, ¿qué es lo que pretendes?

LAURENCIA

Que puestas todas en orden,
1830 acometamos un hecho
que dé espanto a todo el orbe.

────────

1829 Se vuelve a la cuestión del *orden* (v. 1805) y frente al
tumulto antes propuesto, las mujeres prefieren un orden

Jacinta, [a] tu grande agravio,
que sea cabo responde
de una escuadra de mujeres.

JACINTA

1835   ¡No son los tuyos menores!

LAURENCIA

Pascuala, alférez serás.

PASCUALA

Pues déjame que enarbole
en un asta la bandera;
verás si merezco el nombre.

LAURENCIA

1840   No hay espacio para eso,
pues la dicha nos socorre;
bien nos basta que llevemos
nuestras tocas por pendones.

PASCUALA

Nombremos un capitán.

LAURENCIA

1845   ¡Eso no!

PASCUALA

¿Por qué?

---

en el que hay grados, como en el ejército: Jacinta *cabo* (v.
1833), Pascuala *alférez* (v. 1836) y Laurencia se atribuye
el de *capitán* (v. 1844). Esto dice Rades que lo hicieron las
mujeres y los niños como burla y aquí es un recurso para
ir creciendo la tensión.
1832 Desde Hartzenbusch, algunos editores añaden esta [a]
(extraíble del final de la palabra anterior *Jacinta*); *res-*
ponde, como 'corresponde', según propone Blecua.
1837 A: *enarbolo*; la letra final resulta confusa y en B

LAURENCIA

Que adonde
asiste mi gran valor,
no hay Cides ni Rodamontes.

Vanse.

[ESCENA V]

[*En la casa de la Encomienda.*]

Sale FRONDOSO, *atadas las manos;* FLORES, ORTUÑO,
CIMBRANOS* *y el* COMENDADOR.

COMENDADOR

De ese cordel que de las manos sobra,
quiero que le colguéis, por mayor pena.

FRONDOSO

1850   ¡Qué nombre, gran señor, tu sangre cobra!

---

pudiera ser *enarbole*, que es lo que corresponde para la
rima.
1847 *Rodamontes.* Era el nombre común de Rodomonte, personaje del *Orlando Furioso* de Ariosto, que alcanzó gran
popularidad y que Lope llevó a escena. Véase M. Che-
valier, *L'Arioste en Espagne*, Bordeaux, 1966, en especial
pp. 406-422. Laurencia se compara con guerreros conocidos por su empuje: el *Cid*, que es medida española, y
Rodamontes, que lo es italiana. Rodomonte es un feroz
guerrero entre los sarracenos (*Orlando*, XVI, 20). Laurencia escoge al Cid, buen modelo, pero Rodamontes
parece poco conveniente por su condición feroz, salvo
que este nombre conviene para los efectos de la rima.

* Antes Cimbranos había dado cuenta del peligro de caer en
manos de los Reyes en que estaba Ciudad Real (vv. 1103-1127),
No habla en esta escena y es representación de los soldados

COMENDADOR

Colgalde luego en la primera almena.

FRONDOSO

Nunca fue mi intención poner por obra
tu muerte, entonces.

FLORES

Grande ruido suena.

Ruido suene.

COMENDADOR

¿Ruido?

FLORES

Y de manera que interrompen
1855 tu justicia, señor.

ORTUÑO

¡Las puertas rompen!

Ruido.

COMENDADOR

¡La puerta de mi casa, y siendo casa
de la Encomienda!

FLORES

¡El pueblo junto viene!

Dentro.

---

que pudieran estar con él, según la disponibilidad de
actores en la compañía.
1854 *interrompen*: la forma culta era *interrumpir* (lenguaje de
oratoria y forense, Cov.), y por influjo de romper se dio
esta otra.

JUAN

¡Rompe, derriba, hunde, quema, abrasa!

ORTUÑO

Un popular motín mal se detiene.

COMENDADOR

1860   ¿El pueblo contra mí?

FLORES

            La furia pasa
tan adelante, que las puertas tiene
echadas por la tierra.

COMENDADOR

            Desatalde.

[*Dirigiéndose a* FRONDOSO.]

Templa, Frondoso, ese villano Alcalde.

FRONDOSO

Yo voy, señor, que amor les ha movido.

Vase.
Dentro.

1858 Este plurimembre verbal, formado por cuatro verbos de
significación violenta, que suena dentro del escenario,
resume la fuerza de la rebelión popular antes de que se
vean en las tablas sus efectos. Pide la separación *derriba* /
hunde (aspiración) para lograr el endecasílabo, y es la
expresión del "furor de pueblo airado" a que se refiere
Rades (fol. 79 v.) y que guía a Lope.
1864 Frondoso recuerda la sentencia recogida por Correas:
"El amor todo lo puede y todo lo vence", procedente de
raíces literarias, sobre todo pastoriles: "Omnia vincit

MENGO

1865 ¡Vivan Fernando y Isabel, y mueran
los traidores!

FLORES

Señor, por Dios te pido
que no te hallen aquí.

COMENDADOR

Si perseveran,
este aposento es fuerte y defendido.
Ellos se volverán.

FLORES

Cuando se alteran
1870 los pueblos agraviados, y resuelven,
nunca sin sangre o sin venganza vuelven.

COMENDADOR

En esta puerta así como rastrillo,
su furor con las armas defendamos.

Dentro.

---

amor" (*Bucólicas*, X, 69). Aquí *amor* es el lazo
social que une a los de la comunidad cuando uno de
los suyos, Frondoso, está en una situación injusta; y
más, por ser su amor a Laurencia lo que desenca-
denó el motín.

1869-1870 Lo que dice Flores es aproximadamente lo mismo
que había expuesto S. de Horozco en el proverbio
de su *Teatro Universal...*, citado en el prólogo.

1870 *resuelven*. Esta significación del verbo es la que
recoge Cov. para *resoluto*: "el determinado a hacer
alguna cosa".

1873 *defendamos*, como en A; en B: *defendemos*.

FRONDOSO

¡Viva Fuente Ovejuna!

COMENDADOR

                              ¡Qué caudillo!
1875   Estoy porque a su furia acometamos.

FLORES

De la tuya, señor, me maravillo.

ESTEBAN [*avanzando por la escena,
                seguido de los demás.*]

Ya el tirano y los cómplices miramos.
¡Fuente Ovejuna, y los tiranos mueran!

[ESCENA VI]

Salen todos.

COMENDADOR

¡Pueblo, esperad!

TODOS

                              ¡Agravios nunca esperan!

COMENDADOR

1880   Decídmelos a mí, que iré pagando,
a fe de caballero, esos errores.

TODOS

¡Fuente Ovejuna! ¡Viva el rey Fernando!
¡Mueran malos cristianos y traidores!

COMENDADOR

¿No me queréis oír? Yo estoy hablando.
1885   ¡Yo soy vuestro señor!

TODOS

¡Nuestros señores
son los Reyes Católicos!

COMENDADOR

¡Espera!

TODOS

¡Fuente Ovejuna, y Fernán Gómez muera!

[ESCENA VII]

[*El* COMENDADOR *y los suyos se retiran combatiendo por un lado de la escena, y mientras los hombres van tras de ellos, las mujeres entran por el otro lado.*]

Vanse, y salen las mujeres armadas.

LAURENCIA

Parad en este puesto de esperanzas,
soldados atrevidos, no mujeres.

PASCUALA

1890   ¡Lo que mujeres son en las venganzas!
¡En él beban su sangre! ¡Es bien que esperes!

1890 Desde Hartzenbusch se prefiere restituir. ¿*Lo*[*s*] *que mujeres*... pero no es satisfactoria la lección. Sitúo lo que dice Pascuala entre admiraciones, descomponiendo así lo

JACINTA

¡Su cuerpo recojamos en las lanzas!

PASCUALA

¡Todas son de esos mismos pareceres!

Dentro.

ESTEBAN

¡Muere, traidor Comendador!

COMENDADOR

                    Ya muero.
1895   ¡Piedad, Señor, que en tu clemencia espero!

Dentro.

BARRILDO

Aquí está Flores.

---

que es un parlamento de sintaxis difícil. Las mujeres son
tan vengativas que quieren beberse la sangre del Comendador. Es un "bien" que ellas esperan que se cumpla.
1895 El Comendador espera salvar su alma por esta petición a
Dios dicha en el último momento de su vida. No se
olvide que Rades cuenta el hecho de Fuente Obejuna
desde el lado caballeresco, y Lope lo sigue; Fernán
Gómez es caballero, aunque indigno. La *Chrónica* de
Rades titula el hecho "Muerte cruel dada al Comendador Mayor" (fol. 79 v.). Esta crueldad se evita en el
espectáculo dramático situando la acción violenta dentro
de la escena, y sólo se pone de manifiesto por las palabras que oyen las mujeres (y el público espectador). Sólo
Flores y Ortuño, los criados que eran los alcahuetes del
Comendador, salen a la escena, perseguidos por Mengo
y las mujeres. Flores al menos logra huir herido, pues
reaparece poco después (v. 1948) para denunciar el
suceso ante los Reyes.

MENGO

¡Dale a ese bellaco!
Que ese fue el que me dio dos mil azotes.

Dentro.

FRONDOSO

No me vengo, si el alma no le saco.

LAURENCIA

¡No escusamos entrar!

PASCUALA

No te alborotes.
1900   Bien es guardar la puerta.

Dentro.

BARRILDO

No me aplaco.
¡Con lágrimas agora, marquesotes!

LAURENCIA

Pascuala, yo entro dentro, que la espada
no ha de estar tan sujeta ni envainada.

Vase.

1901 *marquesote*: úsalo Lope en un sentido despectivo,
  así: "hidalgo marquesote" en *La Dama Boba* (ed. A. Zamora, 1531) refiriéndose a un pedante presuntuoso, y lo
  mismo en otras comedias: 'a lo marqués, de una elegancia
  estrepitosa y desagradable para los demás'.
1902 Laurencia había ordenado a las mujeres detenerse en las
  puertas (1888) y ella quiere penetrar en el lugar de la
  venganza y aquí lo realiza.

BARRILDO

[BARRILDO y FRONDOSO, *desde dentro.*]

Aquí está Ortuño.

FRONDOSO

Córtale la cara.

Sale FLORES *huyendo, y* MENGO *tras él.*

FLORES

1905   ¡Mengo, piedad, que no soy yo el culpado!

MENGO

Cuando ser alcahuete no bastara,
bastaba haberme el pícaro azotado.

PASCUALA

¡Dánoslo a las mujeres, Mengo, para...!
¡Acaba, por tu vida...!

MENGO

Ya está dado,
1910   que no le quiero yo mayor castigo.

PASCUALA

¡Vengaré tus azotes!

MENGO

Eso digo.

JACINTA

¡Ea, muera el traidor!

FLORES

¿Entre mujeres?

JACINTA

¿No le viene muy ancho?

PASCUALA

¿Aqueso lloras?

JACINTA

¡Muere, concertador de sus placeres!

PASCUALA

1915 ¡Ea, muera el traidor!

FLORES

¡Piedad, señoras!

Sale ORTUÑO *huyendo de* LAURENCIA.

ORTUÑO

Mira que no soy yo...

LAURENCIA

¡Ya sé quién eres!

[*Dirigiéndose a las mujeres que habían
quedado en la entrada.*]

¡Entrad, teñid las armas vencedoras
en estos viles!

PASCUALA

¡Moriré matando!

TODAS

¡Fuente Ovejuna, y viva el rey Fernando!

1913 *venir ancho*: "Estarle a uno bien y muy rrebién"
(Cor., *Voc.* pág. 742).
1919-1920 En otro golpe de efecto, al griterío y violencia de

[ESCENA VIII]

[*Sala del palacio de los Reyes.*]

Vanse, y salen el rey [*don*] FERNANDO *y la reina doña*
ISABEL, *y don* MANRIQUE, MAESTRE.

MANRIQUE

1920   De modo la prevención
          fue, que el efeto esperado
          llegamos a ver logrado,
          con poca contradición.
                Hubo poca resistencia;
1925   y supuesto que la hubiera,
          sin duda ninguna fuera
          de poca o ninguna esencia.
                Queda el de Cabra ocupado
          en conservación del puesto,
1930   por si volviere dispuesto
          a él el contrario osado.

REY

          Discreto el acuerdo fue,
          y que asista es conveniente,
          y reformando la gente,

---

las escenas anteriores, Lope sitúa aquí otra, en la que los
Reyes Católicos, ambos juntos y hablando con pausa,
reciben a sus súbditos en audiencia, siempre prestos a oír
a unos y a otros.
1933 *asista*: o sea que actúe como *asistente* (v. 1941).
1934 *reformando*: reformación es, según Cov., "la corrección y
      reducción de cualquier exceso" (Cov., *s.v. formar*). Es
      decir, previniendo los sucesos contrarios a la política de
      los Reyes, como el ocurrido en Fuente Obejuna, del que
      van a tener noticia en seguida (v. 1948).

1935 el paso tomado esté.
      Que con eso se asegura
no podernos hacer mal
Alfonso, que en Portugal
tomar la fuerza procura.
1940   Y el de Cabra es bien que esté
en ese sitio asistente,
y como tan diligente,
muestras de su valor dé,
      porque con esto asegura
1945 el daño que nos recela,
y como fiel centinela
el bien del Reino procura.

[ESCENA IX]

Sale FLORES, *herido.*

FLORES

      Católico Rey Fernando,
a quien el cielo concede
1950 la corona de Castilla,
como a varón excelente:
oye la mayor crueldad
que se ha visto entre las gentes,
desde donde nace el sol
1955 hasta donde se escurece.

1941 *asistente*: "El que asiste y el que preside, como asistente
de Sevilla, corregidor o gobernador que asiste por el Rey
[como en este caso]" (Cov., *s.v. assistir*).
1948 Otra vez (como en 457-528), Flores habla en verso
Romance continuo para su largo parlamento (1948-
2013), en el que cuenta con tono y gesticulación esta vez
trágicos, la rebelión de Fuente Obejuna desde el punta
de vista de un servidor de la Orden.

REY

Repórtate.

FLORES

                Rey supremo,
mis heridas no consienten
dilatar el triste caso,
por ser mi vida tan breve.
1960   De Fuente Ovejuna vengo,
donde, con pecho inclemente,
los vecinos de la villa
a su señor dieron muerte.
Muerto Fernán Gómez queda
1965   por sus súbditos aleves,
que vasallos indignados
con leve causa se atreven.
Con título de tirano,
que le acumula la plebe,
1970   a la fuerza de esta voz
el hecho fiero acometen;

1956 El relato de Flores conviene con lo que dice Rades en la *Chrónica* (fols. 79v-80), que, como he dicho, está escrito desde el punto de vista de los caballeros de la Orden. La habilidad de Lope fue que esto que, en la *Chrónica* se califica como "un furor maldito y rabioso", se convierta en una comedia en la que los villanos quedan a su modo justificados por las circunstancias del hecho.

1965 *aleve*: "El que es traidor, que se levanta contra su señor" (Cov.). Lope juega en el v. 1967 con *leve causa* en una paronomasia con la que Flores disfraza la maldad del Comendador.

1969 *acumula*: Cov. dice que "es término forense, cuando a un delito le acumulan y juntan otros que el delincuente ha cometido" (*s.v. acumular*). El *Dicc. Autoridades* añade que es "imputar o achacar a alguno lo que no ha hecho". Flores llama al *pueblo* en forma despectiva *plebe,* por ser servidor de la Orden. En la comedia de Monroy del mismo título, el hecho de la rebelión es así llamado por los caballeros (3118 y 3249; y también *turba*, 3096, 3118 y 3942).

y quebrantando su casa,
no atendiendo a que se ofrece
por la fe de caballero
1975   a que pagará a quien debe,
no sólo no le escucharon,
pero con furia impaciente
rompen el cruzado pecho
con mil heridas crueles;
1980   y por las altas ventanas
le hacen que al suelo vuele,
adonde en picas y espadas
le recogen las mujeres.
Llévanle a una casa muerto,
1985   y a porfía, quien más puede,
mesa su barba y cabello,
y apriesa su rostro hieren.
En efeto, fue la furia
tan grande que en ellos crece,
1990   que las mayores tajadas
las orejas a ser vienen.
Sus armas borran con picas
y a voces dicen que quieren
tus reales armas fijar,
1995   porque aquellas les ofenden.
Saqueáronle la casa,
cual si de enemigos fuese,
y gozosos entre todos
han repartido sus bienes.
2000   Lo dicho he visto escondido,
porque mi infelice suerte
en tal trance no permite
que mi vida se perdiese.

1986 *mesar:* Cov., "asir a un hombre de la barba es la mayor
afrenta que se le puede hacer...", resonancia aún de la
gesticulación medieval.
1992 *armas*: "Significan algunas veces [...] la insignia del linaje
y casas, porque lo ponen en el escudo del que las ganaba
por sus hazañas" (Cov., *s.v.*, *arma*).

Y así estuve todo el día
2005 hasta que la noche viene,
      y salir pude escondido
      para que cuenta te diese.
      Haz, señor, pues eres justo
      que la justa pena lleven
2010 de tan riguroso caso
      los bárbaros delincuentes.
      Mira que su sangre a voces
      pide que tu rigor prueben.

                REY

      Estar puedes confiado
2015 que sin castigo no queden.
      El triste suceso ha sido
      tal, que admirado me tiene;
      y que vaya luego un juez
      que lo averigüe conviene,
2020 y castigue los culpados
      para ejemplo de las gentes.
      Vaya un capitán con él,
      porque seguridad lleve,
      que tan grande atrevimiento
2025 castigo ejemplar requiere.
      Y curad a ese soldado
      de las heridas que tiene.

2011 Flores en su alegato vuelve contra los aldeanos la
      calificación de *bárbaros*, seguida del cultismo legal
      delincuentes.
2027-2028 Esta escena prosigue la trágica de la rebelión popu-
      lar, con los mismos personajes. Lope había repre-
      sentado con valentía dramática sobre las tablas la
      rebelión del pueblo (esc. III-VII); y luego la repitió
      con el relato que de la misma hizo Flores ante los
      Reyes (esc. IX). Aquí, prosiguiendo la primera, los
      del pueblo de Fuente Obejuna expanden su alegría
      por verse libres del tirano con canciones (un orden
      de expresión en el que todos participan, como antes

[ESCENA X]

[*Plaza de Fuente Ovejuna.*]

Vanse, y salen los LABRADORES *y* LABRADORAS, *con la cabeza de* FERNÁN GÓMEZ *en una lanza.*

MÚSICOS

¡Muchos años vivan
Isabel y Fernando,
2030   *y mueran los tiranos!*

BARRILDO

¡Diga su copla Frondoso!

FRONDOSO

Ya va mi copla, a la fe;

---

se demostró cuando los mismos recibieron al Comendador, 529-543); todos alborotan y corren danzando en torno del despojo del señor de una manera un tanto carnavalesca. Y cada cual a su manera entona la canción: Frondoso, con un comedido elogio a los Reyes Católicos; Barrildo, con otra canción con alguna nota jocosa; y Mengo, con otra, bufonesca.

2028 Esta copla es el estribillo de la que las otros de la misma escena son como glosas. Puede que en la interpretación escénica este estribillo sonase las veces que fuera conveniente según el acuerdo del "autor". El último verso *y mueran los tiranos* se repite en los vv. 2042, 2053 y cómicamente en 2067, y es la fórmula negativa frente a la variedad de las usadas en alabanza a los Reyes. Las glosas de los aldeanos son variadas, dentro de la posible diversidad de estas estrofas populares, tal como se señala en el mismo curso de la escena.

si le faltare algún pïe,
enmiéndelo el más curioso:

2035   *¡Vivan la bella Isabel*
y Fernando de Aragón,
pues que para en uno son,
él con ella, ella con él!
A los cielos San Miguel
2040   *lleve a los dos de las manos.*
¡Vivan muchos años,
y mueran los tiranos!

LAURENCIA

¡Diga Barrildo!

BARRILDO

Ya va,
que a [la]fe que la he pensado.

2033 *pie*: "Pies de copla: o rima o verso" (Cov.). Aquí se
ha entender palabra bisílaba.
2039 *San Miguel*: J. Herrero ("The new Monarchy...",
pp. 184-185) interpreta la cita del Arcángel y no
de otro Santo (por ejemplo, Santiago, tratándose
de España) por representar el ángel luchador,
armado como caballero en las representaciones
artísticas, que aquí simboliza la lucha con la anarquía aristocrática, para crear un cielo de paz, unidad y amor. La mención de San Miguel (como
indica Dixon) se hace expresando el deseo de que,
cuando mueran, conduzca a sus almas ante Dios,
como así se dice en la Misa de Difuntos.
2041-2042 Obsérvese la rima *años-tiranos*, por lo que dijo en
2034-2035 que se enmendaran los versos, y en este
caso sería la rima.
2042 Aquí la copla rima: *a-b-b-a-a / y-x-x*, sin que los tres
versos finales sean independientes por sí mismos.
2044 Blecua (apoyándose en el v. 2032) propone añadir
a [la] fe para completar el octosílabo.

PASCUALA

2045   Si la dices con cuidado,
        buena y rebuena será.

BARRILDO

¡Vivan los Reyes famosos
muchos años, pues que tienen
la vitoria, y a ser vienen
2050   *nuestros dueños venturosos!*
¡Salgan siempre vitoriosos
de gigantes y de enanos,
y mueran los tiranos!

MÚSICOS

¡Muchos años vivan
2055   *[Isabel y Fernando,*
y mueran los tiranos!]

LAURENCIA

¡Diga Mengo!

FRONDOSO

¡Mengo diga!

2047 La copla en este caso presenta las rimas *a-b-b-a / x-x-y*;
      en este caso la distribución del texto coincide con la uni-
      dad estrófica, sólo que la copla está integrada por una
      redondilla más la terminación que enlaza con la copla
      colectiva de los músicos, de la que el impreso sólo trae
      el primer verso, seguido de etc., y que completo en
      la impresión.

2052 *de gigantes y de enanos*: es decir, de toda desmesura
      natural. De gigantes y de enanos se aprovechaban los
      libros de caballerías para las fantasías narrativas; y así
      con esto la copla de Barrildo traslada la mención histó-
      rica de los Reyes Católicos hacia una proyección fabu-
      losa que disimula la cruel presentación de la cabeza de
      Fernán Gómez.

MENGO

Yo soy poeta donado.

PASCUALA

2060 Mejor dirás: lastimado
el envés de la barriga.

MENGO

Una mañana en domingo
me mandó azotar aquel,
de manera que el rabel
daba espantoso respingo;
2065 *pero agora que [lo] pringo...*
¡Vivan los Reyes Cristiánigos,
y mueran los tiránigos!

MÚSICOS

¡Vivan muchos años!

2058 *donado*: "El lego admitido en la religión para el servicio de la casa" (Cov.). Quiere decir que no es
poeta con todos los honores.

2061-2068 La copla de Mengo se atiene a la fórmula métrica
a-b-b-a-a / x-x, completada por los músicos *y*. Es de
condición cómica, como corresponde al personaje.
Rabel, anota Dixon, es un eufemismo por 'trasero',
acaso en relación con *rabo*. *Azotar* y *pringar* suelen
aparecer juntos (M. Herrero, "Comentarios...",
Revista de Filología Española XII, 1925, pp. 36-42).
Respingo es la coz del animal por causa de alguna
molestia; aquí el movimiento brusco por el dolor
del azote. *que [lo] pringo*: Ruiz Ramón propone
enmendar *los* que traen los impresos por *lo*, por
referirlo a *rabel* o trasero; sería así 'ahora que lo
pringo, o sea que lo curo con unturas de pringue'.

2066 Cov. (*s.v. grasa*) trae "el jugo de la cosa pringosa
y grasienta [...], de donde se dijo *pringue* y *pringar*". Aceptando la propuesta de Ruiz Ramón,
también puede entenderse que Mengo, haciendo

ESTEBAN

[*Refiriéndose a la cabeza del muerto.*]

Quita la cabeza allá.

MENGO

2070　Cara tiene de ahorcado.

Saca un escudo JUAN ROJO *con las armas* [*reales*].

REGIDOR

Ya las armas han llegado.

ESTEBAN

Mostrá las armas acá.

---

grandes aspavientos y dirigiéndose a la cabeza (*aquel*, 2063), dice que está dispuesto a tratar como a un esclavo al que fue su señor, amenazando con *pringarlo*. De este uso Cov. comenta: "los que pringan a los esclavos son hombres inhumanos y crueles" (*s.v. pringar*); es decir, que quiere tratarlo de la manera más deshonrosa que es posible.

2066　*cristiánigos* como *tiránigos* son dos hipercultismos usados por Mengo para cerrar la copla en forma cómica; el adjetivo *tiránico* (ya en uso a mediados del siglo XVI) sustituye por el prestigio cultista del esdrújulo al término básico *tirano*, y adopta una pretendida forma rústica inventada por Lope, a semejanza de terminaciones como *arábigo*.

2071-2072　La llegada de las armas reales pone fin a esta parte en cierto modo carnavalesca, un sistema de expresión que conviene con la tensión de la rebeldía popular que ha traído un mundo al revés, y se pasa a encauzar la solución del problema social y jurídico de la muerte del señor que se comportó como tirano.

2072　*mostrá.* Imperativo sin -*d*, como en 612 y 2116.

JUAN

¿A dónde se han de poner?

REGIDOR

Aquí, en el Ayuntamiento.

ESTEBAN

2075   ¡Bravo escudo!

BARRILDO

¡Qué contento!

FRONDOSO

Ya comienza a amanecer
con este sol nuestro día.

ESTEBAN

¡Vivan Castilla y León,
y las barras de Aragón,
2080   y muera la tiranía!
    Advertid, Fuente Ovejuna,
a las palabras de un viejo,
que el admitir su consejo
no ha dañado vez ninguna.

2082 *Advertir a...*: El verbo *advertir* es palabra que entonces se
    tenía por culta. Cov. da en primer lugar su etimología,
    advertere; y añade luego su sentido en latín: "volverse
    hacia algún lugar". Y después: "Transfiérese al ánimo,
    cuando con la consideración nos volvemos a considerar
    alguna cosa y a discurrir sobre ella" (*s.v. advertir*).
    Obsérvese que Esteban se dirige a las gentes del pueblo
    con el nombre de la villa, que así empieza a destacarse
    como personaje colectivo. Lo que dice luego procede del
    refranero, donde abundan los dichos que ensalzan el
    consejo del viejo: "Es viejo, mas no en el consejo" (Cor.,
    Vocabulario, pp. 144).

2085   Los Reyes han de querer
        averiguar este caso,
        y más tan cerca del paso
        y jornada que han de hacer.
            Concertaos todos a una
2090   en lo que habéis de decir.

FRONDOSO

¿Qué es tu consejo?

ESTEBAN

                    Morir
        diciendo: ¡Fuente Ovejuna!
        Y a nadie saquen de aquí.

FRONDOSO

        Es el camino derecho:
2095   ¡Fuente Ovejuna lo ha hecho!

ESTEBAN

¿Queréis responder así?

TODOS

¡¡Sí!!

2087   El *paso y jornada*: véase 1677. Aunque *jornada* es el
       camino que se hace en un día, Cov. también indica: "Jor-
       nada suele tomarse alguna vez por todo un camino que
       se hace, aunque sea de muchos días" (*s.v. jornada*). Y
       éste es el caso de lo que dice Esteban, pues los Reyes
       tenían que pasar (y de ahí *paso*) por Córdoba, cerca de
       Fuente Obejuna.
2097   A y B sitúan el *¡Sí!* al fin del v. 2096, para que sea el
       último verso de la redondilla *aquí-derecho-hecho-así*. El
       grito unánime de *¡Sí!* no cuenta a efectos métricos, pues
       el verso está completo sin él; de esta manera se funde el
       así de Esteban con el *Sí* colectivo, que puede situarse

ESTEBAN

Ahora, pues, yo quiero ser
agora el pesquisidor,
para ensayarnos mejor
2100   en lo que habemos de hacer.
        Sea Mengo el que esté puesto
en el tormento.

MENGO

                    ¿No hallaste
otro más flaco?

ESTEBAN

                    ¿Pensaste
que era de veras?

MENGO

                    Di presto.

ESTEBAN

2105   ¿Quién mató al Comendador?

MENGO

¡Fuente Ovejuna lo hizo!

ESTEBAN

Perro, ¿si te martirizo...?

MENGO

Aunque me matéis, señor.

---

como cabeza del verso siguiente, como ya hizo A. Castro
(1919, p. 125). *Ahora*, en el texto *aora* (por necesidades
de métrica) frente al *agora*, usado por lo común (y en el
verso siguiente).

ESTEBAN

Confiesa, ladrón.

MENGO

Confieso.

ESTEBAN

2110   Pues ¿quién fue?

MENGO

¡Fuente Ovejuna!

ESTEBAN

Dalde otra vuelta.

MENGO

Es ninguna.

ESTEBAN

¡Cagajón para el proceso!

2112   *Cagajón.* La expresión violenta está usada para dar
       el tono heroico-rústico de la situación. Sobre la
       palabra que le sirve de base, dice Cov.: "Es una de
       las palabras que se han de excusar, aunque sea de
       cosa tan natural, por la decencia". 'Estiércol de
       caballos, burros, etc.'.
2112-2113 Despúes del ensayo carnavalesco de la investiga-
       ción se hace un silencio en el curso escénico para
       pasar a la noticia de la llegada del juez enviado por
       los Reyes Católicos. El Regidor (uno de ellos), que
       debió haber salido de la escena después de lo que
       dijo en 2071 y 2074, reanuda el curso de la repre-
       sentación en otro tono de temor por lo que pudiera
       ocurrir a todos.

[ESCENA XI]

Sale el REGIDOR.

REGIDOR

¿Qué hacéis de esta suerte aquí?

FRONDOSO

¿Qué ha sucedido, Cuadrado?

REGIDOR

2115   Pesquisidor ha llegado.

ESTEBAN

Echá todos por ahí.

REGIDOR

Con él viene un capitán.

ESTEBAN

¡Venga el diablo! Ya sabéis
lo que responder tenéis.

REGIDOR

2120   El pueblo prendiendo van,
        sin dejar alma ninguna.

ESTEBAN

Que no hay que tener temor.
¿Quién mató al Comendador,
Mengo?

2115 Sin artículo, la frase tiene un cierto deje irónico, como refi-
      riéndose a que ha ocurrido lo que estaban esperando todos.
2116 *echá*. Véase 2072 y 612.

MENGO

¿Quién? ¡Fuente Ovejuna!

[ESCENA XII]

[*En la Casa de la Orden de Calatrava.*]

Vanse, y sale el MAESTRE *y un* SOLDADO.

MAESTRE

2125   ¡Que tal caso ha sucedido!
Infelice fue su suerte.
Estoy por darte la muerte
por la nueva que has traído.

SOLDADO

Yo, señor, soy mensajero,
2130   y enojarte no es mi intento.

MAESTRE

¡Que a tal tuvo atrevimiento
un pueblo enojado y fiero!
Iré con quinientos hombres,
y la villa he de asolar;
2135   en ella no ha de quedar
ni aun memoria de los nombres.

2129 La respuesta del soldado recuerda una de las numerosas
manifestaciones del resguardo que protege a los mensajeros en los conocidos versos del Romancero: "Mensajero eres, amigo, / no mereces culpa, no" ("Con cartas y
mensajeros" y "Buen Conde Fernán González"). Aunque a veces el mensajero no era tan afortunado: "y al
mensajero matara" ("Paseábase el Rey moro").

SOLDADO

Señor, tu enojo reporta,
porque ellos al Rey se han dado;
y no tener enojado
2140   al Rey es lo que te importa.

MAESTRE

¿Cómo al Rey se pueden dar,
si de la Encomienda son?

SOLDADO

Con él sobre esa razón
podrás luego pleitear.

MAESTRE

2145   Por pleito... ¿Cuándo salió
lo que él le entregó en sus manos?
Son señores soberanos,
y tal reconozco yo.
     Por saber que al Rey se han dado,
2150   me reportará mi enojo,

2145 La expresión resulta confusa. El soldado le dice que
resuelva el caso por la vía de *pleitear*. Según Cov., *pleito*
"es palabra forense, muy común y ordinaria; parece significar contienda o diferencia judicial entre partes, pero
[...] en rigor vale conveniencia y conformidad". Es decir,
no por las armas, sino por la vía judicial. *Salió* puede significar 'salir de la jurisdicción del Maestre lo que *él* [el
Rey Enrique IV había entregado al maestre Pedro Girón
en 1464] le entregó'. Lope no estaba al tanto de las con-
fusas luchas civiles y simplifica el caso.
2146 Hartzenbusch y M. Pelayo rectifican: *lo que se entregó en
sus manos*; Castro interpreta *él* como 'el pueblo'.
Entiendo: 'lo que el [Rey] entregó a él, en sus manos [del
Maestre]'.
2150 *me reportará mi enojo*: antes el soldado dijo al Marqués:
"Señor, tu enojo reporta" (v. 2137). Y aquí el Maestre

y ver su presencia escojo
por lo más bien acertado;
    que puesto que tenga culpa
en casos de gravedad,
2155   en todo mi poca edad
viene a ser quien me disculpa.
    Con vergüenza voy, mas es
honor quien puede obligarme,
y importa no descuidarme
2160   en tan honrado interés.

Vanse.

[ESCENA XIII]

[*Campo muy cerca de Fuente Ovejuna, junto a las casas de la villa.*]

Sale LAURENCIA *sola.*

LAURENCIA

Amando, recelar daño en lo amado,

---

recoge el consejo. *Reportarse* es "volver uno sobre sí y refrenar la cólera", o sea 'moderarse', como importa aquí. Puede leerse también "[se] reportará mi enojo", si se considera la acción con objetividad; con el *me* aparece intensificado el esfuerzo del Maestre por esta acción.
2161 Laurencia, como tantos personajes de Lope, aprovecha el soneto para un soliloquio en el que expresa el estado de su alma. Los cuartetos exponen las reflexiones sobre la ausencia y también el temor por el peligro en que se encuentra su Frondoso. Los tercetos son la aplicación de esto a su caso personal, que bien conoce el espectador. Véase el minucioso comentario de este soneto ("verdadero alarde preciosista formal") en F. Weber ("La expresión de la erótica...", pp. 684-686).

nueva pena de amor se considera,
que quien en lo que ama daño espera,
aumenta en el temor nuevo cuidado.

2165   El firme pensamiento desvelado,
si le aflige el temor, fácil se altera,
que no es, a firme fe, pena ligera
ver llevar el temor, el bien robado.

Mi esposo adoro; la ocasión que veo
2170   al temor de su daño me condena,
si no le ayuda la felice suerte.

Al bien suyo se inclina mi deseo:
si está presente, está cierta mi pena;
si está en ausencia, está cierta mi muerte.

[ESCENA XIV]

Sale FRONDOSO.

FRONDOSO

2175   ¡Mi Laurencia!

LAURENCIA

¡Esposo amado!
¿Cómo estar aquí te atreves?

FRONDOSO

¿Esas resistencias debes
a mi amoroso cuidado?

2169 Recuérdese que en la celebración se ha llamado a Laurencia y Frondoso los *desposados* (v. 1475). La interrup-
ción de la ceremonia hace que se manifieste esta
condición en el grado que señala Cov.: "Los que se han
dado palabra de casamiento" (*s.v.*, *esposa*).
2176 Sin la prep. *a*; hay usos con ella y sin ella, probablemente
embebida; comp. 637, 1228.

LAURENCIA

Mi bien, procura guardarte,
2180   porque tu daño recelo.

FRONDOSO

No quiera, Laurencia, el cielo
que tal llegue a disgustarte.

LAURENCIA

¿No temes ver el rigor
que por los demás sucede,
2185   y el furor con que procede
aqueste pesquisidor?
Procura guardar la vida.
Huye tu daño, no esperes.

FRONDOSO

¿Cómo que procure quieres
2190   cosa tan mal recebida?
¿Es bien que los demás deje
en el peligro presente,
y de tu vista me ausente?
No me mandes que me aleje,
2195   porque no es puesto en razón
que, por evitar mi daño,
sea con mi sangre estraño
en tan terrible ocasión.

Voces dentro.

Voces parece que he oído;
2200   y son, si yo mal no siento.
de alguno que dan tormento.
Oye con atento oído.

Dice dentro el JUEZ *y responden.*

2202-2203 Otra vez Lope emplea el recurso de valerse sólo de

JUEZ

Decid la verdad, buen viejo.

FRONDOSO

Un viejo, Laurencia mía,
2205   atormentan.

LAURENCIA

¡Qué porfía!

ESTEBAN

Déjenme un poco.

JUEZ

Ya os dejo.
Decid, ¿quién mató a Fernando?

ESTEBAN

Fuente Ovejuna lo hizo.

LAURENCIA

Tu nombre, padre, eternizo.

FRONDOSO

2210   ¡Bravo caso!

---

voces para que los espectadores sigan el proceso del tormento. Laurencia y Frondoso quedan a un lado, y el escenario solo, y las voces lo ocupan con su violencia, subrayada por los comentarios de Laurencia y Frondoso.

2203 Este *buen*, según McGrady, ha de interpretarse como despectivo; el viejo es Esteban, a quien Laurencia (y el público) reconoce por la voz. Como Alcalde es el primero que sufre el tormento.

2209-2210 Falta un verso para completar la redondilla, pero no se interrumpe el sentido.

JUEZ

¡Ese muchacho!
Aprieta, perro, yo sé
que lo sabes. ¡Di quién fue!
¿Callas? Aprieta, borracho.

NIÑO

Fuente Ovejuna, señor.

JUEZ

2215   ¡Por vida del Rey, villanos,
que os ahorque con mis manos!
¿Quién mató al Comendador?

FRONDOSO

¡Que a un niño le den tormento,
y niegue de aquesta suerte!

LAURENCIA

2220   ¡Bravo pueblo!

FRONDOSO

Bravo y fuerte.

2213 El calificativo de *borracho* se dirige al verdugo, que es
      muy posible que lo fuera, pero hay que contar también la
      rima con *muchacho*; y esto pudiera ser signo de que Lope
      escribiese a vuela pluma la comedia en forma un tanto
      rutinaria.
2220 En esta exclamación de Laurencia culmina la sucesiva
      formación de este personaje colectivo *pueblo* que,
      desde Menéndez Pelayo, algunos críticos consideran
      que es el protagonista principal de la obra. Lope ha
      extendido lo que Rades dice en su *Chrónica* "determi-
      nación y furor de pueblo airado con voz de Fuenteove-
      juna" (fol. 79v) a través de una serie de términos
      colectivos que lo han preparado: *Regimiento* (580),

JUEZ

¡Esa mujer! Al momento
en ese potro tened.
Dale esa mancuerda luego.

LAURENCIA

Ya está de cólera ciego.

JUEZ

2225   ¡Que os he de matar, creed,
en este potro, villanos!
¿Quién mató al Comendador?

PASCUALA

Fuente Ovejuna, señor.

---

junta (1652), *el pueblo junto* (como dice Flores
cuando se acerca el tumulto, 1859), y éste es el
término que usa el Comendador delante de los
vecinos exaltados (1879), y es Esteban el que propone que este pueblo se identifique con Fuente
Obejuna en la respuesta al pesquisidor (2092). La
breve mención de Rades se convierte en el
hallazgo dramático que Lope desarrolla con
maestría escénica, y que aquí, de la mención
negativa de Rades, pasa a la positiva de Laurencia y Frondoso. Véase 1969.

2222 *potro*: "Cierto instrumento de madera para dar tormento" (Cov.).

2223 *mancuerda*: 'el tormento de apretar las ligaduras
vuelta tras vuelta'.

2227-2228 En estos dos versos se fija la fórmula que la tradición oral convirtió en refrán y frase proverbial que
revolotea en las respuestas de los aldeanos. Para la
bibliografía, véanse las notas 27 y 29 de la Introducción (pp. 25 y 26). Correas registra estos mismos
versos, conservando la forma dialogada, como un
refrán (Cor., p. 417).

JUEZ

¡Dale!

FRONDOSO

Pensamientos vanos.

LAURENCIA

2230 Pascuala niega, Frondoso.

FRONDOSO

Niegan niños; ¿qué te espantas?

JUEZ

Parece que los encantas.
¡Aprieta!

PASCUALA

¡Ay, cielo piadoso!

JUEZ

¡Aprieta, infame! ¿Estás sordo?

PASCUALA

2235 Fuente Ovejuna lo hizo.

JUEZ

Traedme aquel más rollizo...
¡ese desnudo, ese gordo!

LAURENCIA

¡Pobre Mengo! Él es sin duda.

FRONDOSO

Temo que ha de confesar.

MENGO

2240 ¡Ay, ay!

JUEZ

Comienza a apretar.

MENGO

¡Ay!

JUEZ

¿Es menester ayuda?

MENGO

¡Ay, ay!

JUEZ

¿Quién mató, villano,
al señor Comendador?

MENGO

¡Ay, yo lo diré, señor!

JUEZ

2245   Afloja un poco la mano.

FRONDOSO

Él confiesa.

JUEZ

Al palo aplica
la espalda.

MENGO

Quedo, que yo
lo diré.

2246-2247 *al palo aplica la espalda*: expresión confusa; parece
que el juez ordena al verdugo que le aplique el palo
a la espalda (¿para apretar las cuerdas?), sentado
en el potro.

JUEZ

¿Quién le mató?

MENGO

¡Señor, Fuente Ovejunica!

JUEZ

2250   ¿Hay tan gran bellaquería?
Del dolor se están burlando;
en quien estaba esperando,
niega con mayor porfía.
    Dejaldos, que estoy cansado.

FRONDOSO

2255   ¡Oh, Mengo, bien te haga Dios!
Temor que tuve de dos,
el tuyo me le ha quitado.

[ESCENA XV]

Salen con MENGO, BARRILDO *y el* REGIDOR.

BARRILDO

¡Vítor, Mengo!

REGIDOR

Y con razón.

2249 El recurso de deformar las palabras con sufijos lo
      usó ya otras veces Mengo, que es el personaje
      cómico que más y mejor juega con las palabras;
      así lo había hecho antes con los sufijos cultos
      (vv. 2066-2067), y aquí lo hace aplicando el dimi-
      nutivo -*ica* al nombre de la villa.
2256 Del niño y de Laurencia, que no de Esteban.
2257-2258 Contando con que ya estaban en la escena Lauren-
      cia y Frondoso, que entonces se incorporan al grupo.

BARRILDO

¡Mengo, vítor!

FRONDOSO

Eso digo.

MENGO

2260   ¡Ay, ay!

BARRILDO

Toma, bebe, amigo.
Come.

MENGO

¡Ay, ay! ¿Qué es?

BARRILDO

Diacitrón.

MENGO

¡Ay, ay!

FRONDOSO

Echa de beber.

BARRILDO

[De comer y beber va.]

2261 *diacitrón*: "La conserva hecha de la carne de cidra"
     (Cov.).
2263 La propuesta (de acuerdo con lo que dice McGrady,
     p. 31 de su ed.) procede de unos folios manuscritos del
     ejemplar R 25127 (Biblioteca Nacional de Madrid), en
     los que se suple este verso que falta en las ediciones, que
     traen sólo como respuesta de Barrildo: "Ya va". Faltan

FRONDOSO

Bien lo cuela. Bueno está.

LAURENCIA

2265   Dale otra vez a comer.

MENGO

¡Ay, ay!

BARRILDO

Esta va por mí.

LAURENCIA

Solenemente lo embebe.

FRONDOSO

El que bien niega, bien bebe.

REGIDOR

¿Quieres otra?

MENGO

¡Ay, ay! Sí, sí.

---

las cinco primeras sílabas de este verso que también
podrían ser cinco *ayes* de Mengo, como propone M. G. Profeti en su ed., p. 98.
2267 *embebe*: Cov. "Embeber en sí cualquier cosa líquida,
vino, agua, color, es incorporarlo en sí" (*s.v. bever*). Aquí
Laurencia se lo dice a Mengo, que sigue bebiendo.
2268 Es un refrán inventado sobre el modelo de *El que...*, muy
frecuente (ejemplos: "El que no sabe de guerra, dice
bien de ella" o "El que sigue la caza, ése la mata".).
Comp. 2276.

FRONDOSO

2270   Bebe, que bien lo mereces.

LAURENCIA

A vez por vuelta las cuela.

FRONDOSO

Arrópale, que se hiela.

BARRILDO

¿Quieres más?

MENGO

                   Sí, otras tres veces.
¡Ay, ay!

FRONDOSO

             Si hay vino, pregunta.

BARRILDO

2275   Sí hay. Bebe a tu placer,
         que quien niega, ha de beber.
         ¿Qué tiene?

MENGO

                   Una cierta punta.
         Vamos, que me arromadizo.

2274 Obsérvese el juego de palabras entre la exclamación ¡ay!,
     interpretada con humor por Frondoso como hay, "si hay
     vino".
2277 punta: "Tener punta el vino, hacerse vinagre" (Cov.).
2278 arromadizo. Romadizo: "catarro" (Cov.), 'acatarrarse'.

FRONDOSO

Que [v]ea que éste es mejor.
2280   ¿Quién mató al Comendador?

MENGO

Fuente Ovejunica lo hizo.

Vanse [*todos, menos* FRONDOSO *y* LAURENCIA].

[ESCENA XVI]

FRONDOSO

Justo es que honores le den.
Pero decidme, mi amor,
¿quién mató al Comendador?

LAURENCIA

2285   Fuente Ovejuna, mi bien.

FRONDOSO

¿Quién le mató?

LAURENCIA

¡Dasme espanto!
Pues Fuente Ovejuna fue.

2279 Así dicen A y B: *Que lea.* No sé por qué Hartzenbusch
rectificó el verso: *Es aloque; este es mejor* y le siguió
M. Pelayo. A. Castro prefirió: *Que* [*beba*], *que este es
mejor.* Puede pensarse en una broma de Frondoso pasán-
dole la botella por delante, y leer *Que* [*v*]*ea que este es
mejor.* Blecua, interpretando la serie fónica que implica
el verso, propone la lección *Que le acueste*[*s*] *es mejor,*
que indudablemente conviene con el curso del diálogo.
Dixon prefiere: *Que le acueste*[*n*] *es mejor.*

FRONDOSO

Y yo, ¿con qué te maté?

LAURENCIA

¿Con qué? Con quererte tanto.

[ESCENA XVII]

[*Sala de un alojamiento de la* REINA *en uno de sus viajes.*]

Vanse, y salen el REY *y la* REINA *y después* MANRIQUE.

ISABEL

2290   No entendí, señor, hallaros
        aquí, y es buena mi suerte.

REY

        En nueva gloria convierte
        mi vista el bien de miraros.
        Iba a Portugal de paso,
2295   y llegar aquí fue fuerza.

2289-2290 Dixon ("«*Su majestad habla en fin, como tanto ha acertado*»: la conclusión ejemplar de *Fuente Ovejuna*", *art. cit.*) justifica y defiende la terminación que Lope dio a la obra, haciendo que los Reyes solucionen el caso, parte de la cual se ha suprimido en algunas representaciones modernas.
2292-2293 La cortés expresión amorosa del Rey hacia la Reina es paralela a la de Frondoso con Laurencia; y así realeza y pueblo quedan unidos a través de la expresión de los sentimientos. Véase F. Weber ("La expresión de la erótica...", pp. 686-687).

ISABEL

Vuestra Majestad le tuerza,
siendo conveniente el caso.

REY

¿Cómo dejáis a Castilla?

ISABEL

En paz queda, quieta y llana.

REY

2300   Siendo vos la que la allana,
no lo tengo a maravilla.

Sale don MANRIQUE.

MANRIQUE

Para ver vuestra presencia
el Maestre de Calatrava,
que aquí de llegar acaba,
2305   pide que le deis licencia.

ISABEL

Verle tenía deseado.

2296 *le*: Dixon interpreta que este *le* se refiere a *paso* sobre el
juego entre *ir de paso* y *torcer el paso*, 'desviarse del
camino'.
2300 El Rey juega con la voz *llana* y el verbo; a la respuesta
de la Reina de que Castilla queda en paz, quieta y
llana, él la requiebra otra vez por ser ella quien la
allana en el sentido que recoge Cov.: "llaneza en condición y trato, apacible término" (s. v. *llano*). Lope dio
siempre amable acogida a los Reyes Católicos en sus
comedias.

MANRIQUE

Mi fe, señora, os empeño
que, aunque es en edad pequeño,
es valeroso soldado.

[ESCENA XVIII]

Sale el MAESTRE [*y se retira don* MANRIQUE].

MAESTRE

2310   Rodrigo Téllez Girón,
que de loaros no acaba,
Maestre de Calatrava,
os pide, humilde, perdón.
        Confieso que fui engañado,
2315   y que excedí de lo justo
en cosas de vuestro gusto,
como mal aconsejado.
        El consejo de Fernando
y el interés me engañó,
2320   injusto fiel; y ansí yo
perdón humilde os demando.
        Y si recebir merezco

2307 *mi fe[-]os empeño*: uso conversacional del verbo *empeñar*, paralelo al que Cov. indica "empeñar su palabra, dar
palabra de hacer alguna cosa" (*s.v. empeñar*): 'os afirmo,
doy por cierto que...'.
2308 Parece que hay intención de llamarle *pequeño en edad*.
Pequeño es *chico* según Cov.; y dice "suele significar el
muchacho, y porque ordinariamente son traviesillos...".
Obliga también la rima con *empeño*.
2320 *injusto fiel*: Blecua interpreta este *fiel* como el de la balanza
de su conducta; es decir, que no pesaba (o sopesaba, como
diríamos hoy) bien sus actos. Pudiera ser que Lope quisiera acercar los dos sentidos: *fiel* de la balanza, y [súbdito]
fiel (uno de los suyos), pero que obra injustamente.

esta merced que suplico,
desde aquí me certifico
2325   en que a serviros me ofrezco.
      Y que en aquesta jornada
de Granada, adonde vais,
os prometo que veáis
el valor que hay en mi espada;
2330   donde, sacándola apenas,
dándoles fieras congojas,
plantaré mis cruces rojas
sobre sus altas almenas.
      Y más, quinientos soldados
2335   en serviros emplearé,
junto con la firma y fe
de en mi vida disgustaros.

2326 *jornada de Granada*. Esto sería para un futuro. Propia-
      mente, los Reyes quedaron en Andalucía, y fueron de
      Sevilla a Jerez, Utrera y volvieron a Sevilla, donde nació
      en 30 de junio de 1478 el Príncipe don Juan. Hasta 1482
      no ocurrió la muerte de don Rodrigo en Loja. J. Cañas
      relaciona esta actitud y palabras del Maestre con una
      visión teocéntrica propia de la concepción política de la
      Monarquía de la época de Lope; don Rodrigo pide per-
      dón como el pecador a Dios, y los Reyes se lo otorgan
      ante su arrepentimiento.
2327 Lope reduce a un esquema simple, propio de su inten-
      ción de concluir la comedia, un complejo proceso his-
      tórico. La *Chrónica* de Rades dice: "...él anduvo en el
      partido del Rey don Alonso muchos años..." (fol. 80)
      "...pasados algunos años, como ya el Maestre había
      crecido en edad y entendimiento, conoció haberlo
      errado en tomar voz contra los Reyes Católicos..."
      (fol. 80 v.) Como se dijo, la muerte del Maestre no ocu-
      rrió hasta 1482.
2331 B: *dándole*. En el texto, como en A; sobreentiendo: a los
      moros. También cabe entender: dándole [a Granada,
      v. 2327].
2334 Obsérvese la rima *soldados* con *disgustaros* (2337).
2337 Se entiende: nunca *en mi vida*.

REY

Alzad, Maestre, del suelo,
que siempre que hayáis venido,
2340   seréis muy bien recebido.

MAESTRE

Sois de afligidos consuelo.

ISABEL

Vos, con valor peregrino,
sabéis bien decir y hacer.

MAESTRE

Vos sois una bella Ester,
2345   y vos, un Jerjes divino.

[ESCENA XIX]

Sale MANRIQUE.

MANRIQUE

Señor, el pesquisidor
que a Fuente Ovejuna ha ido,

2342 *peregrino*: "Cosa peregrina, cosa rara" (Cov.).
2344-2345 El Maestre, de entre la gran cantidad de parejas
ilustres, prefirió comparar a los Reyes con una
bíblica, y no con una de la gentilidad antigua, contando con que se trataba de los Reyes *Católicos*.
2346 Resuelto el caso de Ciudad Real, que ha sido cuestión civil entre el Maestre de la Orden y el Rey, y
lograda la jerarquía política que sitúa al Rey en la
cabeza del poder, queda pendiente la solución del
caso de Fuente Obejuna: para esto, véase el minucioso estudio de V. Dixon (1988) sobre esta parte,
que confirmo con mis notas.

con el despacho ha venido
a verse ante tu valor.

REY

2350   Sed juez de estos agresores.

MAESTRE

Si a vos, señor, no mirara,
sin duda les enseñara
a matar comendadores.

REY

Eso ya no os toca a vos.

ISABEL

2355   Yo confieso que he de ver
el cargo en vuestro poder,
si me lo concede Dios.

[ESCENA XX]

Sale el JUEZ.

JUEZ

A Fuente Ovejuna fui
de la suerte que has mandado,

2350 *agresores*: es un cultismo, término jurídico con el
        que el Rey designa a los aldeanos de Fuente Obe-
        juna, de acuerdo con las primeras informaciones
        que tiene del hecho.
2355 Como bien indica Dixon, la Reina se dirige al Rey
        y espera que él llegue a ser el Maestre de la Orden,
        como en efecto ocurrió.
2358-2359 La tarea del inquisidor se cuenta en la *Chrónica* de
        Rades (fol. 80). Después de la escenificación que
        Lope hizo de la pesquisa del mismo en su visita a la

2360 y con especial cuidado
y diligencia asistí.
   Haciendo averiguación
del cometido delito,
una hoja no se ha escrito
2365 que sea en comprobación;
   porque, conformes a una,
con un valeroso pecho,
en pidiendo quién lo ha hecho,
responden: «Fuente Ovejuna».
2370 Trecientos he atormentado
con no pequeño rigor,
y te prometo, señor,
que más que esto no he sacado.
   Hasta niños de diez años
2375 al potro arrimé, y no ha sido
posible haberlo inquirido
ni por halagos ni engaños.
   Y pues tan mal se acomoda
el poderlo averiguar,
2380 o los has de perdonar
o matar la villa toda.

---

villa, aquí el funcionario narra su inútil cometido.
La mencionada *Chrónica* acaba el hecho diciendo
que los Reyes "mandaron quedase el negocio sin
más averiguaciones" (fol. 80). La audiencia de los
de Fuente Obejuna a los Reyes es invención de
Lope para atenuar el sentido trágico de los hechos
y rematar la comedia con la feliz solución del caso.
2372 Cov. define *prometer* por el verbo latino *promittere*,
sin traducción española; de los varios significados
del verbo, uno es el de 'decir, anunciar', y si es con
énfasis, como aquí, 'dar por cierto y seguro'.
2374 Esto de dar tormento a los niños se encuentra en la
Chrónica de Rades: "Y lo que más es de admirar, que
el Juez hizo dar tormento a muchas mujeres y mancebos de poca edad, y tuvieron la misma constancia y
ánimo que los varones muy fuertes" (fol. 80).
2380-2381 El pesquisidor real expresa aquí la confusión del

Todos vienen ante ti
para más certificarte;
de ellos podrás informarte.

REY

2385   Que entren, pues vienen, les di.

[ESCENA XXI]

Salen los dos ALCALDES, FRONDOSO, *las mujeres y los
villanos que quisieren.*

LAURENCIA

¿Aquestos los Reyes son?

FRONDOSO

Y en Castilla poderosos.

"juez christiano" mencionado en el emblema 27 de los
Emblemas morales de S. de Covarrubias; desde un punto
de vista jurídico, ateniéndose a su información, propone o
el castigo colectivo o el perdón de todos: "Es tan favore-
cida la inocencia de la justicia y tan privilegiada [...] que
[...] por no lastimar al inocente, no descarga el golpe sobre
el culpado" (comentario del emblema, al que siguen otros
informes jurídicos en latín de Diego de Covarrubias).

2382 Esta audiencia de los de Fuenteobejuna ante los Reyes
es invención de Lope para así encaminar la comedia a su
fin. La *Chrónica* nada dice de esto, sino que quitaron la
autoridad y varas a los que estaban nombrados por la
Orden y "luego acudieron a la ciudad de Córdoba y se
encomendaron ella" (fol. 80), con lo que resuelve en
pocas palabras los largos pleitos antes mencionados
(véase la nota 15 de la Introducción).

2383 *certificarte*: "Certificarse, enterarse y asegurarse de que
la cosa es así como se ha dicho" (Cov., *s.v. certificar*).

2385 *les di*: con el pronombre de régimen antepuesto, como en
1235, 1543 y otras partes, para facilitar la rima.

LAURENCIA

Por mi fe, que son hermosos:
¡bendígalos San Antón!

ISABEL

2390   ¿Los agresores son éstos...?

ALCALDE ESTEBAN

Fuente Ovejuna, señora,
que humildes llegan agora
para serviros dispuestos.
   La sobrada tiranía

2389 *San Antón*: Laurencia aquí en su asombro ante los Reyes
pide que los bendiga un Santo por el que los aldeanos
sienten devoción. Al oír esto, los personajes que son
nobles en la escena (y el público que asiste a la representación) ríen porque San Antón o San Antonio Abad
(s. III-IV), es el patrono de los animales domésticos y se le
representa barbudo, vestido como ermitaño, con un
cerdo a los pies y rodeado de exvotos de los curados de
ergotismo; véase A. Castillo de Lucas, "San Antón.
Hagiografía folklórico-médica", *Archivo Iberoameri-
cano de Historia de la Medicina y Antropología Médica*,
VII (1955), pp. 103-114.

2390 La Reina no se enfada por la mención de Laurencia y
vuelve a emplear el término de *agresores*, pero esta vez
con un leve matiz risueño, a diferencia de cómo lo había
empleado antes el Rey (v. 2350).

2391 Lope, para cerrar la comedia, reúne a tres representaciones de los personajes más significativos, y sucesivamente
dan cuenta de lo ocurrido en una síntesis final que resume
el contenido de la obra. Esteban habla como alcalde por
el pueblo de Fuente Obejuna, todo él implicado en el
argumento; Frondoso lo hace en nombre de la pareja
amorosa que ha sostenido el curso de la acción; y Mengo
es la voz cómica que ha sido el contrapunto de la trágica
violencia. El ausente es el Comendador, cuya causa se
enjuicia después de su muerte, siendo aquí el acusador
acusado y cuyo castigo es la impunidad de su asesinato.

2395   y el insufrible rigor
        del muerto Comendador,
        que mil insultos hacía,
            fue el autor de tanto daño.
        Las haciendas nos robaba
2400   y las doncellas forzaba,
        siendo de piedad extraño.

                    FRONDOSO

        Tanto, que aquesta zagala
        que el Cielo me ha concedido,
        en que tan dichoso he sido
2405   que nadie en dicha me iguala,
            cuando conmigo casó,
        aquella noche primera,
        mejor que si suya fuera,
        a su casa la llevó.
2410   Y a no saberse guardar
        ella, que en virtud florece,
        ya manifiesto parece
        lo que pudiera pasar.

                    MENGO

            ¿No es ya tiempo que hable yo?
2415   Si me dais licencia, entiendo
        que os admiraréis, sabiendo
        del modo que me trató.
            Porque quise defender
        una moza, de su gente

2410 McGrady interpreta lo que dice Frondoso como una
     "piadosa mentira", pues entiende que Laurencia hubo
     de ser violada cuando cayó en manos del Comendador.
     Pero no hay motivo para entender que Frondoso mienta,
     y la misma condición de Laurencia, que había tenido
     ocasión de manifestarse desde el principio, permite
     entender que pudo librarse del asedio del señor; al
     menos, esto es lo que conviene para la buena termina-
     ción de lo que es una comedia.

2420 que, con término insolente,
fuerza la querían hacer,
     aquel perverso Nerón
de manera me ha tratado,
que el reverso me ha dejado
2425 como rueda de salmón.
     Tocaron mis atabales
tres hombres con tal porfía,
que aun pienso que todavía
me duran los cardenales.
2430   Gasté en este mal prolijo,
porque el cuero se me curta,
polvos de arrayán y murta,
más que vale mi cortijo.

ALCALDE ESTEBAN

     Señor, tuyos ser queremos.
2435 Rey nuestro eres natural,
y con título de tal
ya tus armas puesto habemos.

2421 Laísmo, como en 352 y 1565.
2432 *polvos de arrayán y murta*: Arrayán "...en medicina sirve
esta planta con su raíz, hoja y fruto para grandes reme-
dios, como lo refiere Dioscórides, lib. I, cap. 128, y allí su
comentador Laguna [...]"; las hojas secas se aplican sobre
las partes aporreadas". *Murta* es, según Cov., "el arrayán
pequeño".
2433 *Cortijo*: según Cov. "pedazo de cercado [...] cortijo porque crían en ellos la hierba o sirve de arsenal" (*s.v. corti-
nal*). Deriva de *corte* 'corral abierto de las aves'. Palabra
usada, según Corominas, *Dicc. Crít. Etim.* (*s.v. corte*) en
Andalucía (y en este sentido Fuente Obejuna pertenece
a esta área léxica). Designa la casa que se tenía en el
campo para guardar los aperos y los granos, y que pudo
usarse también para vivir, sobre todo entre la gente
humilde como es Mengo. En la lengua española actual es
la casa que el propietario de las tierras tiene en el campo
con los medios propios para su explotación y que la
habita temporal o permanentemente.

Esperamos tu clemencia.
y que veas, esperamos,
2440   que en este caso te damos
por abono la inocencia.

REY

Pues no puede averiguarse
el suceso por escrito,
aunque fue grave el delito,
2445   por fuerza ha de perdonarse.
Y la villa es bien se quede

2438   *veas*: en un sentido amplio, como dice Cov.: "Algunas veces se toma el *ver* por entender" (*s.v. ver*).
2441   *Abonar*, según Cov. (*s.v. bueno*) es "acreditar
alguna persona, hacer buena y cierta la cosa: testigos de abono". Es decir, por testigo de abono (o sea
'a su favor').
2441   *la inocencia*: Hay una cierta contradicción en la
defensa. Los hechos imputados son innegables: hubo
rebelión frente al señor, como testimonia la *Chrónica*
de Rades. Cov. trae para *inocente* un primer sentido:
"Vulgarmente, el que está sin culpa en lo que se le
imputa". Esto no es aplicable a los de Fuente Obejuna. Pero Cov. trae otra significación: "Ni más ni
menos [llamamos inocentes] a los simples, por care-
cer de malicia", que viene bien con la condición de
los aldeanos rústicos, tal como se presentan ante los
Reyes. Y aún añade luego en *inocencia*: "Estado
de inocencia, el de nuestros primeros padres, en el
paraíso terrenal antes que pecasen". Los aldeanos se
amparan en que ignoraban la gravedad de los hechos,
pues estaban en estado de inocencia social.
2442-2445 Los Reyes, contando con el dictamen del juez
(2380-2381), lo resuelven expeditivamente por la
falta de noticias firmes en que apoyarse. La *Chrónica* de Rades trae que ellos "mandaron se quedase
el negocio sin más averiguación" (fol. 80). Lo que
hoy se dice: "dar carpetazo".
2446   El Rey recibe la villa en su jurisdicción e indica
que *acaso* pueda darla a otro Comendador; y así

en mí, pues de mí se vale,
hasta ver si acaso sale
comendador que la herede.

FRONDOSO

2450   Su Majestad habla, en fin,
como quien tanto ha acertado.
Y aquí, discreto senado,
Fuente Ovejuna da fin.

FINIS

---

resuelve el caso tan complejo en pocas palabras
anunciando la política de la monarquía de recibir
para sí el gobierno de las Órdenes, un *acierto*, según
el juicio de Frondoso, corroboración de que el
asunto se resolvió para mayor gloria de los futuros
Reyes de España, como estudió V. Dixon (1988).

ÍNDICE DE LÁMINAS

ESTE LIBRO
SE TERMINÓ DE IMPRIMIR
EL DÍA 22 DE DICIEMBRE DE 1996.

clásicos *castalia*

ÚLTIMOS TÍTULOS PUBLICADOS

165 / José Cadalso
AUTOBIOGRAFÍA. NOCHES
LÚGUBRES
Edición, introducción y notas de
Manuel Camarero.

166 / Gabriel Miró
NIÑO Y GRANDE
Edición, introducción y notas de
Carlos Ruiz Silva.

167 / José Ortega y Gasset
TEXTOS SOBRE LA
LITERATURA Y EL ARTE
Edición, introducción y notas de
E. Inman Fox.

168 / Lepoldo Lugones
CUENTOS FANTÁSTICOS
Edición, introducción y notas de
Pedro Luis Barcia.

169 / Miguel de Unamuno
TEATRO. LA ESFINGE.
LA VENDA. FEDRA
Edición, introducción y notas de
José Paulino Ayuso.

170 / Luis Vélez de Guevara
EL DIABLO COJUELO
Edición, introducción y notas de
Ángel R. Fernández González e
Ignacio Arellano.

171 / Federico García Lorca
PRIMER ROMANCERO
GITANO. LLANTO POR
IGNACIO SÁNCHEZ MEJÍAS
Edición, introducción y notas de
Miguel García-Posada.

172 / Alfonso X, el Sabio
CANTIGAS DE SANTA
MARÍA, II
Edición, introducción y notas de
W. Mettmann.

173 / CÓDICE DE AUTOS
VIEJOS
Selección
Edición, introducción y notas de
Miguel Ángel Priego.

174 / Juan García Hortelano
TORMENTA DE VERANO
Edición, introducción y notas de
Antonio A. Gómez Yebra.

175 / Vicente Aleixandre
ÁMBITO
Edición, introducción y notas de
Alejandro Duque Amusco.

176 / Jorge Guillén
FINAL
Edición, introducción y notas de
Antonio Piedra.

177 / Francisco de Quevedo
EL BUSCÓN
Edición, introducción y notas de
Pablo Jauralde Pou.

178 / Alfonso X, el Sabio
CANTIGAS DE SANTA
MARÍA, III
Edición, introducción y notas de
Walter Mettmann.